Uw recht bij geldzaken

Georgie Dom

Uw recht bij geldzaken

Bij banken, fiscus, adviseurs en verzekeraars

Consumentenbond

1e druk, maart 2012

Auteur: Georgie Dom
Verder werkten mee: Anne Grooters, Charles Onbag, Ben Schellekens
Eindredactie: Vantilt Producties, Nijmegen
Grafische verzorging: Het vlakke land, Rotterdam
Foto omslag: Getty Images

ISBN 978 90 5951 1811
NUR 440

INHOUD

INLEIDING

Financiën spelen een grote rol in ons leven. En dat geldt dus ook voor financiële instellingen, zoals banken, verzekeringen, pensioenfondsen, financieel adviesbureaus en de Belastingdienst. Met al die instellingen kunt u een conflict krijgen. Over de dekking van uw inboedelverzekering, een onterechte afschrijving van uw betaalrekening, een in uw ogen te hoge aanslag van de Belastingdienst, een riskant beleggingsadvies of een te hoge rekening van de makelaar.

In dit boek leest u wat er allemaal wettelijk op de financiële markt is geregeld, welke rechten voor u hieruit voortvloeien en hoe u het best met een klacht kunt omgaan. Het boek geeft veel handige tips en voorbeelden uit de praktijk.

In hoofdstuk 1 krijgt u algemene informatie over rechten en wetten, vooral op financieel gebied.

Hoofdstuk 2 diept dit thema uit voor banken, met extra aandacht voor cybercrime en het voorkomen van problemen bij betalingen.

Hoofdstuk 3 behandelt uitgebreid uw relatie met de fiscus. U leest over bezwaar en beroep tegen een belastingaanslag, over wat u kunt doen als u een aanslag niet gelijk kunt betalen en over waar u fiscaal advies kunt krijgen.

In hoofdstuk 4 komen beleggen en sparen aan bod. Denk aan beschermingsregelingen, zoals het beleggerscompensatiestelsel en het depositogarantiestelsel, maar ook aan het opstellen van een beleggersprofiel en de Financiële Bijsluiter die bij complexe beleggingsproducten verplicht is.

De problemen die kunnen ontstaan bij de koop en financiering van een huis – de hypotheek – worden beschreven in hoofdstuk 5. Daarin vertellen we u ook wat u kunt doen als de waarde van uw huis door overheidsbeslissingen dreigt te zakken.

De wetten en regels rond leningen krijgen aandacht in hoofdstuk 6. Het bevat een uitleg van onder meer de Wet op het consumentenkrediet, maar ook een opsomming van uw rechten bij het Bureau Krediet Registratie.

In hoofdstuk 7 leest u wat uw rechten zijn als u een klacht heeft over uw werkgeverspensioen, maar ook over de AOW, Anw of WAO.

Hoofdstuk 8 gaat over schade- en levensverzekeringen, maar ook over uw zorgverzekering. Mag u tussentijds opzeggen? Waar kunt u uw klacht indienen? Hoe zit het met de dekking?
Ten slotte geeft hoofdstuk 9 belangrijke informatie over financieel dienstverleners, zoals aanbieders van financiële producten, bemiddelaars en adviseurs, maar ook over makelaars, notarissen en advocaten. Wie houdt toezicht op ze? Wat mag u van ze verwachten?
Een uitgebreide adressenlijst en een beknopt register maken dit nuttige boek compleet.

1 UW RECHTEN

Hoe zit het recht in ons land in elkaar? En waar kunt u terecht met een klacht over een financiële onderneming?

Voordat we in de volgende hoofdstukken ingaan op uw rechten en plichten als consument op specifieke financiële gebieden is het handig iets te weten over het recht in het algemeen. Ook leest u alvast globaal wat u moet doen als u een klacht over een financieel dienstverlener heeft. In hoofdstuk 9 gaan we daar uitgebreider op in.

1.1 Recht in het algemeen

1.1a Wet en overeenkomst

Rechten en plichten van mensen zijn gebaseerd op 'het recht'. Uw rechten en plichten tegenover de overheid en die van de overheid jegens u zijn vrijwel allemaal wettelijk vastgelegd. Ze zijn dwingend: er kan niet aan worden getornd. Ook een aantal van uw rechten en plichten als consument is wettelijk geregeld, in het Burgerlijk Wetboek.
Voor zaken die niet dwingend in de wet zijn geregeld, kunnen partijen hun 'eigen' wet opstellen in de vorm van een overeenkomst. Partijen kunnen met elkaar eigen voorwaarden afspreken. Deze overeenkomsten zijn alleen geldig indien ze niet strijdig zijn met de officiële wet en er geen dwingend recht bestaat. Ook aan zulke voorwaarden worden eisen gesteld: ze mogen bijvoorbeeld niet onredelijk zijn.

1.1b Personen en rechtspersonen

Wie zijn er volgens de wet bevoegd een rol te spelen in het recht? Wie kunnen een proces voeren? Allereerst: alle mensen ('personen') van vlees en bloed, maar ook organisaties, zoals naamloze en besloten vennootschappen (nv's en bv's), stichtingen, verenigingen, de staat en gemeenten. Deze organisaties noemen we dan 'rechtspersonen'.

Rechten en plichten kunnen dus bestaan tussen:

- u en een andere burger;
- u en een rechtspersoon;
- rechtspersonen onderling.

1.1c Rechtspraak

Houden personen en rechtspersonen zich niet aan de wet of aan onderlinge afspraken, dan kunnen er conflicten ontstaan. Rechters hebben de taak die te beslechten. In Nederland is de rechtspraak onderverdeeld in burgerlijk recht, staats- en bestuursrecht en strafrecht. Daarnaast bestaat er een 'particuliere' rechtspraak, in de vorm van geschillencommissies, mediation en arbitrage.

Als klagende consument zult u vooral te maken krijgen met het burgerlijk recht. Dan doet de civiele rechter uitspraak in geschillen waarbij u tegenover een andere burger staat, tegenover de overheid die als burger optreedt (als verkoper van een stuk grond bijvoorbeeld) of tegenover een rechtspersoon (zoals een organisatie of een fabrikant).

Maar als de overheid echt als overheid is opgetreden, kunt u ook met het bestuursrecht te maken krijgen. Dit wordt geregeld in de Algemene wet bestuursrecht. Dat is bijvoorbeeld het geval als u bezwaar maakt tegen een geweigerde bouwvergunning of tegen een voorlopige aanslag die door de Belastingdienst is afgewezen (zie par. 3.2a).

1.1d Wetten en regels op financieel gebied

Voordat we in de hoofdstukken hierna dieper ingaan op de diverse financiële instanties en organisaties waarmee u als consument te maken kunt hebben, vindt u hier alvast een overzicht van de belangrijkste wet en de voornaamste regels met betrekking tot de wereld van het geld.

Regelgeving

Er bestaan grofweg drie soorten regelgeving op de financiële markten. Ten eerste zijn er *gedragsregels* die voorschrijven op welke wijze financiële instellingen met hun (potentiële) klanten dienen om te gaan. Transparantie is hierbij een belangrijk uitgangspunt. Consumenten moeten voldoende informatie krijgen over de wezenlijke kenmerken van financiële producten en diensten. Anders kunnen ze niet bewust en verantwoord kiezen. Meer hierover leest u onder meer in par. 9.1b.

Tot de gedragsregels behoren ook de voorwaarden voor integere omgangs-

vormen op de financiële markten, waaronder de zorgplicht – de taak om zorgvuldig met de belangen van een klant om te gaan – van aanbieders en bemiddelaars. Zo moeten financieel adviseurs hun klanten onder meer behoeden voor verkeerde beslissingen. Ook moet een financieel dienstverlener klachten van consumenten adequaat behandelen. In dat verband wordt van hem verwacht dat hij is aangesloten bij een door de minister van Financiën erkende buitengerechtelijke geschilleninstantie.
De tweede soort financiële regelgeving betreft de *soliditeits- of prudentiële regels.* Ze zijn voornamelijk bedoeld om te voorkomen dat financiële instellingen niet in staat zijn hun geldelijke verplichtingen na te komen (insolventie). Tot slot zijn er regels die *in geen van beide categorieën vallen,* zoals regels over de betrouwbaarheid van bestuurders van financiële instellingen.

Wet financieel toezicht (Wft)

Een hoofdrol is weggelegd voor de Wft. Deze wet bundelt bijna alle regels en voorschriften voor de financiële markten, en – heel belangrijk – het toezicht daarop. Per 1 januari 2007 heeft de Wft acht toezichtswetten vervangen, zodat het uitgebreide stelsel van toezicht op financiële instellingen nu in één wet is geregeld.
De financiële sector staat onder toezicht van twee instellingen: De Nederlandsche Bank (DNB; zie Adressen) en de Stichting Autoriteit Financiële Markten (AFM; zie Adressen). De Wft brengt een heldere scheiding aan tussen de taken van DNB en de AFM. DNB is belast met het prudentieel toezicht, de AFM met het gedragstoezicht. Vrij vertaald komt het erop neer dat DNB controleert of financiële ondernemingen zelf financieel gezond zijn en of ze aan hun financiële verplichtingen kunnen voldoen. De AFM let erop dat financiële ondernemingen hun klanten goede informatie geven over financiële producten en dat ze zich houden aan de afspraken die zij met klanten hebben gemaakt.

DNB. DNB houdt toezicht op:

- banken en andere kredietinstellingen;
- pensioenfondsen;
- verzekeraars;
- overige instellingen, waaronder beleggingsinstellingen en geldtransactiekantoren.

Niet iedereen mag zomaar financiële diensten aanbieden. Hiervoor is een vergunning van DNB nodig. Die wordt alleen verleend als de instelling aan bepaalde eisen voldoet:

- deskundigheid en betrouwbaarheid van de bestuurders;
- financiële waarborgen;
- bedrijfsvoering;
- informatieverschaffing aan de deelnemers en het publiek.

Alle instellingen met een vergunning zijn opgenomen in de registers van DNB die op de website te vinden zijn. Wie zich niet aan de regels houdt, moet op sancties rekenen. In het ergste geval trekt DNB de vergunning in. Meer over DNB leest u bijvoorbeeld in hoofdstuk 2.

AFM. De AFM is de gedragstoezichthouder voor de gehele financiële marktsector, met uitzondering van zorgverzekeraars (die vallen onder het toezicht van de Nederlandse Zorgautoriteit; zie par. 8.3b). De AFM controleert of de financiële instelling zich aan de bestaande wetten en regels houdt. Daarnaast adviseert de AFM het ministerie van Financiën over nieuwe wetten en regels. De AFM let erop hoe financiële instellingen die actief zijn in sparen, lenen, beleggen, pensioenen en verzekeringen met hun klanten omgaan. Zo mogen ze bijvoorbeeld geen misleidende informatie geven en moeten ze hun klanten goed behandelen.
Voor sommige diensten en producten – effecten, beleggingen of leningen – hebben financiële ondernemingen zelfs een vergunning van de AFM nodig. Die wordt alleen verleend als de onderneming aan bepaalde eisen voldoet, bijvoorbeeld financieel gezond zijn. De AFM heeft een lijst met alle ondernemingen die een waarschuwing hebben gehad omdat zij zich niet aan de regels houden. De AFM kan boetes en lasten onder dwangsom opleggen, informatie publiceren (met inachtneming van de geheimhoudingsplicht) en in het uiterste geval de vergunning van een financieel dienstverlener intrekken. Als consument kunt u bij de AFM terecht met vragen over betalen, sparen, lenen, beleggen, hypotheken en verzekeringen (behalve zorgverzekeringen). Ook kunt u er klachten over financiële diensten melden. De AFM kan niet vertellen welke aanbieder het best is of tussen u en de aanbieder bemiddelen, maar kan wel aangeven wat uw rechten zijn en u doorverwijzen naar een instantie die u kan helpen met uw individuele probleem, bijvoorbeeld het Klachteninstituut Financiële Dienstverlening (Kifid; zie par. 1.2d).

1.2 Uw recht halen

Wat als u een recht meent te hebben, maar dat niet krijgt? Of het wel krijgt, maar niet op de manier zoals u wenst? Hoe u dan te werk moet gaan, hangt af van diverse factoren. Van invloed zijn bijvoorbeeld het onderwerp en het (financiële) belang van het geschil. Maar het speelt ook mee of het een conflict betreft met een bedrijf of de overheid. We geven hier enkele basisregels voor het halen van uw recht. In de hoofdstukken hierna gaan we gedetailleerder in op bepaalde geschillen over verzekeringen, belastingaanslagen, bankrekeningen, beleggen, sparen enzovoort. Als slagroom op de taart krijgt u in hoofdstuk 9 uitgebreide (praktijk)informatie over hoe te klagen.

Haal uw recht
Veel meer informatie vindt u in onze uitgave *Haal uw recht*.

1.2a Advies inwinnen

Voordat u stappen neemt, moet u nagaan of u in uw recht staat. Soms is dat overduidelijk, bijvoorbeeld als u iets heeft besteld en betaald, maar niet heeft ontvangen. Maar twijfelt u? Dan zult u moeten controleren wat de wet erover zegt of, als het om een overeenkomst gaat, wat de 'kleine lettertjes' (de algemene voorwaarden) vermelden. U kunt advies inwinnen bij verschillende juridische dienstverleners en (belangen)organisaties.

Advocaat

Advocaten zijn juridisch deskundigen die bemiddelen, advies geven en de burger bijstaan in processen. De aanwezigheid van een advocaat is bij de rechtbank, het Hof en de Hoge Raad verplicht. Tot voor kort was bij kantonrechtszaken met een financieel belang groter dan €5000 een advocaat verplicht, maar sinds 1 juli 2011 is die 'competentiegrens' verhoogd naar €25.000. Bij relatief eenvoudige kantonstrafzaken, zoals een verkeersovertreding, is een advocaat niet verplicht, net zomin als bij bepaalde procedures tegen de overheid, zoals de wijziging van een bestemmingsplan.
Het inschakelen van een advocaat is kostbaar. De rekening bestaat uit zijn honorarium, de belaste verschotten (waarover de advocaat belasting moet betalen) plus btw en de onbelaste verschotten. Verschotten zijn de kosten die een advocaat voor zijn klant maakt, zoals griffierechten, deurwaarders-

kosten en reis- en verblijfskosten. De algemene kosten (kantoor en dergelijke) zijn in het honorarium begrepen. Op uw verzoek hoort een advocaat u een gespecificeerde rekening te geven.
Op grond van de Wet op de rechtsbijstand kunnen burgers en rechtspersonen met een inkomen en vermogen beneden een bepaalde grens in aanmerking komen voor gesubsidieerde rechtsbijstand (zie het gelijknamige kader). Dan vergoedt de overheid een deel van de kosten die u maakt wanneer u een advocaat of mediator (conflictbemiddelaar) nodig heeft. U betaalt wel altijd een eigen bijdrage die afhangt van uw inkomen en vermogen. U kunt bij het Juridisch Loket informeren of u voor een gesubsidieerde rechtsbijstand in aanmerking komt. Meer informatie over de advocaat, vooral wanneer u een probleem met hem heeft, vindt u in par. 9.7.

Gesubsidieerde rechtsbijstand

Uw rechtsbijstandsverlener of mediator stelt samen met u een aanvraag op voor gesubsidieerde rechtsbijstand of mediation. De aanvraag wordt ingediend bij de Raad voor Rechtsbijstand (zie Adressen), die beslist of u in aanmerking komt. Dit gebeurt op basis van gegevens over uw inkomen en vermogen (afkomstig van de Belastingdienst) en de inhoudelijke gegevens van uw zaak. U komt in 2012 voor gesubsidieerde rechtsbijstand of mediation in aanmerking als uw brutoverzamelinkomen lager is dan €24.900 (alleenstaanden) of €35.200 (gehuwden, eenoudergezinnen, geregistreerde partners of samenwonenden). Uw vermogen speelt ook een rol, maar de waarde van de eigen woning hoeft u niet op te geven. U vindt de vermogensgrenzen op de site van de Raad voor Rechtsbijstand: www.rvr.org/nl.

TIP

Gratis kennismakingsgesprek

Bij een groot aantal advocaten kunt u terecht voor een gratis kennismakingsgesprek, van ongeveer 30 minuten. U kunt zo al veel te weten komen, bijvoorbeeld of het zin heeft een juridische procedure te starten. Besluit u na het kennismakingsgesprek verder te gaan met de advocaat, dan kost dit natuurlijk wel geld. Vraag vooraf hoeveel uur de advocaat aan de zaak denkt te besteden, zodat u een kostenindicatie heeft.

Alternatief voor advocaat
Nu de 'competentiegrens' bij kantonrechtszaken is verhoogd naar €25.000, kunt u vaker een andere vorm van rechtshulp inschakelen. Dat is meestal goedkoper dan een advocaat. Veel mensen hebben een rechtsbijstandsverzekering afgesloten, maar u kunt ook langs bij de vakbond, autoverzekeraar of een gespecialiseerd juridisch bureau op *no-cure-no-pay*-basis. Allemaal adressen om uw recht te halen én hoge advocaatkosten te vermijden. Maar er zijn ook valkuilen en beperkingen.

1. *Rechtsbijstandsverzekering.* Wie een rechtsbijstandsverzekering heeft, kan voor informatie en advies bij deze verzekering aankloppen, mits het gaat om een kwestie die valt binnen de module(s) die u heeft afgesloten. Over het algemeen worden de volgende soorten rechtsbijstandspolissen aangeboden: motorrijtuigen, verkeer, gezin en bedrijfsrecht. De rechtsbijstandsverzekeraar heeft een team van juristen en advocaten in dienst die u verder helpen.

2. *Vakbonden.* Wie met een arbeidsconflict zit en lid is van de vakbond, kan daar terecht voor juridische bijstand. De laatste jaren bieden veel vakbonden de optie een aanvullende rechtsbijstandsverzekering af te sluiten voor niet-arbeidsgerelateerde zaken. Dit is meestal goedkoper dan via een verzekeraar.

3. *Autoverzekeringen.* Wie door toedoen van een ander schade oploopt aan de auto, krijgt met een hoop rompslomp te maken. Want verzekeraars keren meestal niet spontaan uit. Slimme juridische hulp komt dan als geroepen. De meeste allriskautopolissen bieden standaard 'verhaalsbijstand'. U krijgt dan hulp bij het verhalen van schade na een ongeval buiten uw schuld. Voor het verhalen van letselschade (waaronder ook smartengeld en inkomstenderving) en bijvoorbeeld conflicten met de garage zult u een speciale autorechtsbijstandsmodule moeten afsluiten – soms als extra dekking bij de allriskautoverzekering, soms als onderdeel van een 'gewone' rechtsbijstandsverzekering.

4. *No cure, no pay.* Volgens de wet mogen advocaten niet op basis van no cure, no pay werken. Maar juristen die niet als advocaat zijn ingeschreven, kunnen dat wél. Bij no cure, no pay betaalt u de juridisch adviseur soms een percentage van de verkregen schadevergoeding. Boekt hij geen resultaat, dan krijgt hij niets.

No cure, no pay is niet verstandig als de uitkomst van de zaak vrij zeker is. De kosten zullen vaak veel hoger uitvallen dan wanneer u een gewoon uurtarief betaalt. Maar is er een grote kans dat u geen schadevergoeding binnenhaalt, dan is no cure, no pay een goede optie. Verliest u de zaak, dan bent u in ieder geval geen advocaatkosten kwijt, en wint u, dan heeft u tenminste nog voordeel.

Deurwaarder

Ook bij een deurwaarder kunt u terecht voor juridisch advies. Een deurwaarder wordt bij Koninklijk Besluit door de Kroon benoemd en moet daarna een eed afleggen. Hij heeft ambtelijke en niet-ambtelijke taken. Tot de eerste behoren bijvoorbeeld toezien op vrijwillige openbare verkoping van onroerende zaken, inventarissen opmaken en schattingen doen.
Tot zijn niet-ambtelijke werkzaamheden behoren het incasseren van vorderingen, adviezen geven, rechtskundige bijstand verlenen en rechtszittingen bijwonen. Incasseren van vorderingen kan overigens ook door een incassobureau gebeuren.

Notaris

Een notaris is een duizendpoot in de administratieve en juridische dienstverlening. Hij is een openbaar ambtenaar en als enige bevoegd notariële akten op te maken. Dat behoort tot zijn 'ambtelijke' praktijk. Net als de deurwaarder kan hij adviezen geven die vallen onder zijn niet-ambtelijke werkzaamheden.
In het notariaat gelden geen vaste tarieven. Het is daarom belangrijk dat u van tevoren een offerte opvraagt. De notaris kan bijvoorbeeld een vast bedrag aangeven voor zijn werkzaamheden, of met een uurtarief werken. Via www.degoedkoopstenotaris.nl en www.notaristarieven.nl kunt u de tarieven van notarissen met elkaar vergelijken. Meer over notarissen leest u in par. 9.6.

Wets-/rechtswinkel

Nederland kent bijna 80 wets- of rechtswinkels. U kunt er advies krijgen van rechtenstudenten of afgestudeerde juristen die op vrijwillige basis werken. Er is een grote variatie in het aanbod: grote en kleine rechtswinkels, kinderrechtswinkels, migrantenrechtswinkels en vrouwenrechtswinkels. Er zijn geen kosten aan verbonden. De drempel is laag, maar datzelfde kan helaas soms ook worden gezegd over het niveau van de deskundigheid. Het is een geschikt adres voor simpele juridische kwesties, maar met echt gecompliceerde zaken kunt u beter elders aankloppen.

Juridisch Loket

Het Juridisch Loket is een initiatief van de overheid en wordt betaald door het ministerie van Veiligheid en Justitie. Bij het Juridisch Loket kunt u antwoord krijgen op juridische vragen op allerlei gebieden: werk (zoals arbeidsovereenkomsten en ontslag); uitkeringen, toeslagen en andere inkomensaanvullingen; familiekwesties (echtscheiding, voogdij, erfenissen); huren en een eigen huis; consumentenproblemen; vreemdelingenzaken; politie, justitie, strafzaken en verkeersboetes, (bouw/omgevings)vergunningen en bezwaarprocedures; rechtsbijstand en mediation.

Het Juridisch Loket kan niet helpen met vragen over het beheer van vermogen, zakelijke kwesties, pacht of verhuur van onroerend goed en andere vragen over de uitoefening van een zelfstandig beroep of bedrijf.

Op www.juridischloket.nl en in de 30 vestigingen in heel Nederland krijgt u heldere informatie over juridische onderwerpen. Meer dan 300 juridisch medewerkers geven advies op maat en kunnen, zo nodig, doorverwijzen naar een andere instantie, een mediator of advocaat. De dienstverlening is gratis, maar als u belt via 0900 – 8020 betaalt u €0,10 per minuut, plus de normale kosten van uw (mobiele)telefoonaanbieder. Wordt u via het Juridisch Loket doorverwezen naar een advocaat of mediator, dan zijn aan zijn diensten uiteraard wel kosten verbonden.

Consumentenbond

Sinds 1 november 2011 kan iedereen op de website van de Consumentenbond vragen en antwoorden vinden op het gebied van consumenten- en financieel recht. Er zijn ook voorbeeldbrieven te vinden die u bijvoorbeeld kunt opsturen naar een schilder die slecht werk heeft geleverd of om te protesteren tegen de energierekening.

Daarnaast biedt de Consumentenbond juridische hulp aan leden die een geschil hebben met een leverancier, verkoper of dienstverlener. Voor meer informatie kunt u bellen met de afdeling Service & Advies: (070) 445 45 45.

Consumentenautoriteit

Mede dankzij de Consumentenbond bestaat er sinds 2007 een toezichthouder die consumenten helpt hun recht te halen en die ondernemers aanpakt die zich niet aan de wet houden: de Consumentenautoriteit (CA).

De CA richt zich veel op onredelijke bedingen in algemene voorwaarden, internethandel, misleidende loterijen en prijzenfestivals, transparantie van prijzen in de reisbranche en garanties. Sinds oktober 2008 is de Wet oneerlijke handelspraktijken van kracht. Hiermee kan de Consumentenautoriteit ondernemers beboeten die misleidende reclame of agressieve verkooptechnieken gebruiken. De CA geeft ook informatie en advies aan consumenten. U kunt daarvoor terecht bij ConsuWijzer (zie het gelijknamige kader), de helpdesk van de CA en andere toezichthouders.

ConsuWijzer

ConsuWijzer (zie Adressen) is het loket van de overheid waar u terechtkunt voor informatie over uw rechten als consument op verschillende terreinen: internet, telefonie, kabel en post; energie; elektronica en huishoudelijke apparatuur; huis en tuin; zorg en welzijn; vakantie en vrijetijdsbesteding; vervoer; kleding en textiel; financiën en verzekeringen.

De medewerkers lossen het probleem niet voor u op, maar wijzen u wel de weg naar de oplossing. Ze vertellen u hoe u het best te werk kunt gaan en bij welke instantie u moet zijn. Uw klacht of vraag wordt geregistreerd en doorgegeven aan een van de drie toezichthouders die samen ConsuWijzer hebben opgericht. Dat zijn de Consumentenautoriteit, de NMa (Nederlandse Mededingingsautoriteit) en de OPTA (Onafhankelijke Post en Telecommunicatie Autoriteit).

TIP

Handige adressen

- *Het Juridisch Loket*: 0900 – 8020, www.juridischloket.nl: van de overheid, voor gratis juridisch advies.
- *De Geschillencommissie*: (070) 310 53 10, www.degeschillencommissie.nl: voor een bindende uitspraak over een geschil, indien de winkelier (of zijn branchevereniging) is aangesloten bij De Geschillencommissie.
- *Consumentenbond*: (070) 445 45 45, www.consumentenbond.nl: gratis juridisch advies voor leden.

Europees Consumenten Centrum

Informatie over consumentenrecht of hulp bij klachten over ondernemingen in een ander land binnen de Europese Unie, Noorwegen of IJsland, kunt u krijgen bij het Europees Consumenten Centrum (ECC; zie Adressen).

1.2b Belang

Blijkt uit het ingewonnen advies dat u in uw recht staat, dan moet u vaststellen welk belang u bij de zaak heeft. Wilt u alleen uw gelijk, dus genoegdoening? Of wilt u ook een financiële genoegdoening, schadevergoeding dus of zelfs smartegeld? Of wilt u ook dat de tegenpartij wordt bestraft? Als geld een rol speelt, moet u berekenen om welk bedrag het gaat.
Ook moet u nagaan of uw belang opweegt tegen de moeite die u moet doen om uw recht te halen. Blijkt uw belang zwaar genoeg, dan moet u nog bezien hoe het staat met uw bewijspositie. Gelijk hebben betekent niet automatisch gelijk krijgen. Als u uw gelijk niet kunt bewijzen, wordt het een stuk moeilijker. Alles wat daarbij kan helpen, zoals bonnen en schriftelijke afspraken, moet u dus verzamelen en bewaren.

1.2c Kom in actie

Wacht niet te lang met actie ondernemen. Als u bijvoorbeeld een geschil aan een geschillencommissie wilt voorleggen, geldt er een bepaalde termijn waarbinnen u dat moet hebben gedaan. Bovendien moet u schriftelijk hebben geklaagd en de tegenpartij een termijn hebben geboden om te reageren. Stap niet meteen naar de rechter, maar begin op een zo laag mogelijk niveau. Probeer eerst zelf met de tegenpartij tot overeenstemming te komen. Laat desnoods iemand anders daarin bemiddelen. Komt u er samen uit, dan kan dat veel geld en tijd schelen, en dat weegt misschien op tegen een wat minder resultaat. Bovendien wordt hulp op een hoger niveau soms pas verstrekt als u eerst heeft geprobeerd zelf het geschil met de betrokkene te regelen. Ook de rechter kan dit bij zijn uitspraak laten meetellen.
Informatie over hoe u uw klacht het beste indient, vindt u in par. 9.3.

1.2d Verdere stappen

Geschilleninstanties: Kifid

Maar wat als u er met de tegenpartij niet uitkomt? Op financieel gebied zijn verschillende geschilleninstanties actief waar u dan naartoe kunt gaan. Voor klachten over een registratie bij het Bureau Krediet Registratie (BKR) is er de Geschillencommissie BKR (zie Adressen). Bij de Stichting Klachten en Geschillen Zorgverzekeringen (SKGZ; zie Adressen) kunt u klachten over

zorgverzekeraars indienen. Met klachten over reglementen van pensioenfondsen kunt u naar de Ombudsman Pensioenen. In de betreffende hoofdstukken leest u hier meer over.
Banken, verzekeraars, pensioenfondsen, intermediairs en andere financieel dienstverleners zijn wettelijk verplicht zich aan te sluiten bij een financieel klachteninstituut. Het Kifid (www.kifid.nl) is het centrale klachteninstituut van banken, verzekeraars, intermediairs, vermogensbeheerders en andere financieel dienstverleners. Hier kunt u uw klacht binnen drie maanden melden. Dat kunt u doen via een brief of door het klachtenformulier op de website van het Kifid te downloaden en in te vullen. Bij het Kifid kunt u terecht voor klachten en geschillen over verzekeringen, hypotheken, leningen, financieringen en beleggingen. U moet wel eerst samen met uw financieel dienstverlener een oplossing hebben proberen te vinden. Het Kifid is onafhankelijk, laagdrempelig, snel en betaalbaar.
Bij het Kifid vindt eerst bemiddeling plaats via de Financiële Ombudsman. Als hij uw klacht gegrond acht, zal hij bij de dienstverlener voor uw belangen opkomen, maar zijn bemiddelingsvoorstel of aanbeveling is niet bindend. Het inschakelen van de Ombudsman Financiële Dienstverlening is gratis. Als de bemiddeling geen resultaat heeft, kunt u overwegen de volgende stap te nemen: naar de geschillencommissie van het Kifid. Dat moet binnen drie maanden na het voorleggen van uw klacht aan het Kifid gebeuren. (De Consumentenbond heeft er bij het Kifid op aangedrongen consumenten direct toegang te geven tot de geschillencommissie.) Een voorwaarde is wel dat het moet gaan om een belang van meer dan €100. Een behandeling door de geschillencommissie kost €50. De geschillencommissie doet wél een bindende uitspraak voor beide partijen. In het register op www.kifid.nl vindt u een overzicht van de aangesloten financieel dienstverleners waarover de geschillencommissie wel of niet een bindende uitspraak kan doen.
Als u het niet eens bent met de uitspraak van de geschillencommissie, kunt u het geschil binnen zes weken voorleggen aan de Commissie van Beroep. Deze doet de laatste, definitieve en bindende uitspraak. Er is wel een hoge financiële drempel: het moet om meer dan €25.000 gaan. Bovendien kost behandeling van de klacht door deze commissie €500. Overigens kan ook de financieel dienstverlener in beroep gaan tegen de beslissing van de geschillencommissie.
Het is handig te weten dat de Financiële Ombudsman en de geschillencommissie geen klachten in behandeling nemen die ook aan een rechter of een andere geschilleninstantie zijn voorgelegd.

Buitenlandse dienstverleners

Als u een niet op te lossen geschil met een buitenlandse financieel dienstverlener heeft, kunt u uw klacht indienen bij de Financiële Ombudsman van het Kifid. Hij zoekt contact met zijn collega in het land van de betrokken dienstverlener om uw klacht daar te laten behandelen, mits het gaat om een van de 21 landen van de Europese Economische Ruimte (EER). Zij hebben zich verenigd in het *Financial Dispute Resolution Network* (FIN-NET), een internationaal samenwerkingsverband van financiële ombudsmannen. FIN-NET helpt klachten op te lossen bij financieel dienstverleners in de aangesloten landen. Meer informatie over FIN-NET kunt u vinden op http://ec.europa.eu/internal_market/fin-net/index_en.htm.
U kunt uw klacht ook rechtstreeks bij de financiële ombudsman uit het land van de betrokken dienstverlener indienen.

Heldere claimhulp

Gedupeerde consumenten krijgen meer duidelijkheid over stichtingen die namens hen procederen voor genoegdoening, zoals bij de woekerpolisaffaire. Op 1 juli 2011 is de Claimcode in werking getreden. 'Met deze code wordt het kaf van 't koren gescheiden bij claimstichtingen en dat is belangrijk voor consumenten', aldus directeur Bart Combée van de Consumentenbond.
De Claimcode regelt bijvoorbeeld dat het behartigen van collectieve belangen zonder winstoogmerk gebeurt, dat er een onafhankelijk en goed bestuur zonder belangentegenstellingen is en dat er transparantie bestaat over de verdiensten van de stichting.

Mediation

Als u er met de tegenpartij niet uitkomt, kunt u ook gebruikmaken van mediaton. Bij mediation wordt gezocht naar een oplossing waar alle betrokkenen zich in kunnen vinden. Die uitkomst hoeft niet altijd op juridische gronden te zijn gebaseerd. Mediation kost doorgaans €100 tot €200 per uur, wat de partijen gezamenlijk betalen. Dat is niet niks, maar een gang naar de rechtbank is ook duur, mede dankzij de gestegen griffiekosten en zeker als u de hulp van een advocaat moet inroepen.

Er zijn mediators uit allerlei beroepsgroepen. Op www.mediatorsvereniging.nl kunt u zoeken naar een mediator die goed past bij u en uw geschil en kunt u controleren of een mediator gecertificeerd is. Bereid iedere bijeenkomst met een mediator goed voor en bedenk ook wat voor de ander relevant kan zijn en hoe u elkaar tegemoet kunt komen.

Naar de rechter

U kunt ook besluiten naar de burgerrechter te stappen. Dat is een lange, moeizame en kostbare weg, dus u moet wel zeker weten dat het belang groot genoeg is en dat u kans van slagen heeft. Bedenk ook dat u als u hiervoor kiest, u de klacht daarna niet meer aan het Kifid kunt voorleggen.
U begint een rechtszaak door via een gerechtsdeurwaarder een dagvaarding naar de gedaagde te sturen. Die mag daarop schriftelijk of mondeling reageren. De rechter kiest dan de vervolgprocedure. Dat kan een tweede schriftelijke ronde zijn, waarbij de eiser reageert op het verweer van de gedaagde. Ook kan het een hoorzitting zijn, waarbij beide partijen voor de rechter moeten verschijnen. Soms doet de rechter meteen uitspraak.
Een procedure bij de rechter kost tijd en geld. Vorderingen tot €25.000 en klachten over huur- en arbeidsovereenkomsten worden afgehandeld door de sector kanton van de rechtbank. Alleen de eiser betaalt griffierechten. En u hoeft geen advocaat in de arm te nemen.
Overige zaken belanden bij de rechtbank. Daar betalen beide partijen griffierechten en moet u een (dure) advocaat inschakelen. Het griffierecht bij de rechtbank is €41 (juni 2011), bij het gerechtshof €112. Er zijn plannen om het griffierecht vanaf 2013 kostendekkend te maken; dat zou een forse verhoging betekenen.
Bij spoedeisende zaken kunt u een kort geding aanspannen. Doet u dit bij de sector kanton van de rechtbank, dan is inschakeling van een advocaat niet verplicht. Dient u het kort geding in bij de rechtbank, dan moet u als eiser wel een advocaat nemen. Als gedaagde hoeft dat niet, maar het mag wel.

Informatie over rechtspraak

Meer informatie over de verschillende gerechtelijke procedures vindt u op www.rechtspraak.nl/Naar-de-rechter/pages/default.aspx.

2 BANKIEREN

Vrijwel iedereen heeft een betaalrekening bij een bank. Hoe zit het met uw rechten en plichten, onder meer bij een onterechte afschrijving?

Banken bieden naast betaalrekeningen allerlei andere financiële diensten aan: van leningen (hoofdstuk 6) tot spaarproducten (hoofdstuk 4) en van hypotheken (hoofdstuk 5) tot beleggingsrekeningen (hoofdstuk 4). In de betreffende hoofdstukken leest u wat uw rechten op die gebieden zijn.
In dit hoofdstuk leest u eerst waar u op moet letten als u een bank kiest en hoe het met het toezicht en de vergunningen staat. Daarna vindt u allerlei tips en aandachtspunten op het terrein van betalen.

2.1 Aandachtspunten bij de keuze van een bank

U zult er misschien niet zo gauw bij stilstaan, maar voordat u met een bank in zee gaat, is het verstandig een paar punten na te lopen. Wat zijn de voorwaarden die een bank stelt aan een product of dienst? En heeft de bank wel een vergunning?

2.1a Voorwaarden

Banken zijn vrij om te bepalen welke diensten zij aanbieden en onder welke voorwaarden. Informeer naar deze voorwaarden bij uw bank en lees ze zorgvuldig voordat u een overeenkomst aangaat.
Er zijn verschillende voorwaarden:

- In de algemene bankvoorwaarden staan de algemene rechten en plichten van de bank en de rekeninghouder vermeld ten aanzien van bancaire producten. Deze algemene voorwaarden verschillen per bank.
- De productvoorwaarden gelden specifiek voor een product of een dienst van een bank. Zo zijn er voorwaarden voor internetbankieren, hypothecair krediet of effectendiensten. Ook de meeste productvoorwaarden verschillen per bank.

Bij ingewikkelde financiële producten, zoals een beleggingsverzekering, staan de eigenschappen van een product omschreven in de financiële bijsluiter (FB). U leest hier meer over in par. 4.1a.

2.1b Vergunningen en registers

Banken moeten een vergunning hebben om diensten in Nederland te mogen aanbieden. Alle banken met een vergunning zijn opgenomen in het Register van de Wet financieel toezicht (Wft). Voordat u een rekening opent, is het verstandig te controleren of de bank inderdaad over een vergunning beschikt. Typ op de website van De Nederlandsche Bank (DNB) of de Autoriteit Financiële Markten (AFM) de zoekterm 'register kredietinstellingen' in. Ook buitenlandse banken moeten een vergunning hebben. Banken in andere EU-landen mogen als zij in hun eigen land een vergunning hebben, op grond daarvan financiële diensten in Nederland aanbieden. Deze banken vallen dan niet onder het toezicht van DNB, maar onder de toezichthouder in het land van vestiging. Dit kan doordat het toezicht in Europa in grote lijnen gelijk is. Deze banken moeten zich wel melden bij DNB en zijn ook opgenomen in het Register Wft.
DNB geeft alleen vergunningen aan banken die over voldoende financiële middelen beschikken en die door betrouwbare en deskundige bestuurders worden geleid. Het toezicht van DNB is geen garantie dat een bank nooit failliet kan gaan, maar maakt het risico erop wel kleiner.
Voor sommige diensten en producten – effecten, beleggingen of leningen – hebben banken een vergunning van de AFM nodig. Die krijgen ze alleen als ze betrouwbaar en deskundig genoeg zijn. Ook nadat ze de vergunning hebben gekregen, houdt de AFM toezicht op hun gedrag.

2.1c Beschermingsregelingen

Of u nu een groot of een klein bedrag bij de bank stalt, het is een kwestie van vertrouwen. Om dat vertrouwen te vergroten, zijn er beschermingsregelingen in het leven geroepen, ook wel garantieregelingen genoemd.
Er zijn drie soorten regelingen:

1. *Depositogarantiestelsel*: beschermt geld op een betaal- en spaarrekening. Zie hoofdstuk 4.
2. *Beleggerscompensatiestelsel*: ter bescherming van beleggingen. Zie hoofdstuk 4.
3. *Vermogensscheiding*: zorgt ervoor dat bij het faillissement van een beleggingsonderneming uw geld gescheiden is van dat van de onderneming.

DNB is verantwoordelijk voor de uitvoering van deze beschermingsregelingen. De AFM controleert of beleggingsondernemingen zich aan de regels voor vermogensscheiding houden en grijpt zonodig in.

2.2 Veilig betalen

We kennen tegenwoordig allerlei manieren van betalen, elk met hun eigen voor- en nadelen en risico's. Aan de risico's kunt u iets doen met de volgende tips en informatie. Een deel is afkomstig van www.veiligbankieren.nl.

2.2a Betaalpas

Uw pincode krijgt u via een formulier dat de bank u toestuurt. Die code is uiteraard heel belangrijk. Vandaar de volgende tips:

- Vernietig dit formulier direct na ontvangst en schrijf de code niet op, ook niet 'gecodeerd', bijvoorbeeld als telefoonnummer. Probeer hem meteen te onthouden.
- Gebruik de code nooit voor andere doeleinden, bijvoorbeeld als toegangscode voor uw computer of mobiele telefoon.
- Maak geen gebruik van onlinehulpmiddelen om uw pincode te onthouden als u daarbij uw pincode op een website moet invullen.
- Houd uw pincode altijd geheim en geef hem nooit aan een ander. Ook niet aan uw bank. Die zal nooit vragen om pincodes, rekeningnummers, creditcardgegevens enzovoort.
- Leen uw betaalpas nooit uit.
- Vermoedt u dat u niet veilig kunt pinnen? Betaal dan op een andere manier.
- Zorg dat anderen niet mee kunnen kijken als u de pincode intoetst.
- Controleer of het bedrag dat u moet betalen juist op de display staat.
- Laat u niet afleiden tijdens het pinnen.
- Scherm uw pincode tijdens het pinnen goed af, bijvoorbeeld door uw hand boven het toetsenbord te houden.
- Laat uw pinbon niet achter bij de geldautomaat of in de winkel.
- Houd uw afschrijvingen in de gaten aan de hand van uw rekeningafschriften of via internetbankieren. Heeft u volgens een afschrijving op een plek of tijdstip gepind waar u niet bent geweest, bel dan direct uw bank.
- Meld verlies of diefstal van uw betaalpas onmiddellijk. Zie het kader 'Pas kwijt of gestolen?' hieronder.

TIP

Trek aan de bel!
Constateert u onveilige omstandigheden bij een betaalautomaat? Bel dan het landelijk meldpunt op (030) 283 65 55, maandag t/m zaterdag van 8.30 tot 18.00 uur en op zondag van 11.00 tot 18.00 uur. Bel ook de politie op (0900) 8844 (lokaal tarief), 24 uur per dag.

2.2b Creditcard

Ook voor uw creditcards zijn er handige tips.

- Zet meteen uw handtekening op uw creditcard zodra u die thuis ontvangt.
- Controleer na een transactie altijd of u uw eigen creditcard terugkrijgt.
- Geef uw kaartnummer en vervaldatum niet aan anderen als u niet van plan bent iets te kopen.
- Controleer voordat u de transactiebon tekent of het bedrag en de muntsoort kloppen. Bewaar een kopie van de transactiebon voor uw eigen administratie.
- Controleer uw afschriften van de creditcardmaatschappij. Zo spoort u onterechte afschrijvingen op en kunt u de creditcardmaatschappij direct inlichten. Het bedrag wordt dan op uw verzoek teruggeboekt; dit heet de *chargeback*-regeling. De uitgever van de creditcard zal een onderzoek doen en de webwinkelier moet bewijzen dat u de aankoop heeft gedaan en gekregen. Kan hij dat niet, dan zijn de kosten voor hem.

Pas kwijt of gestolen?
Meld verlies of diefstal van uw betaalpas, creditcard of chipknip onmiddellijk bij uw bank. De telefoonnummers op de volgende pagina zijn 7 dagen per week, 24 uur per dag bereikbaar. Uw betaalpas en/of creditcard wordt dan direct geblokkeerd, zodat anderen er geen misbruik van kunnen maken. Noteer het juiste nummer in uw (mobiele) telefoon of agenda.
Als u merkt dat er transacties worden afgeboekt die u niet heeft gedaan, ga dan direct naar uw bank. De bank blokkeert uw pas onmiddellijk en vraagt een nieuwe voor u aan. Als uit onderzoek blijkt dat uw pasgegevens gekopieerd en misbruikt zijn, wordt de schade doorgaans zo spoedig mogelijk vergoed. Maak er een gewoonte van het transactieverloop op uw rekening minimaal wekelijks te controleren.

- Kijk op de website van uw bank hoe u uw creditcard veilig kunt gebruiken voor betalingen via internet.
- Meld verlies of diefstal van uw creditcard onmiddellijk. Zie het kader 'Pas kwijt of gestolen?'.

Belangrijke telefoonnummers

Betaalpas en chipknip

- ABN AMRO (binnenland): 0900 – 0024 (lokaal tarief)
- ABN AMRO (buitenland): +31 (0) 10 241 17 20
- ING Bank: +31 (0) 58 212 60 00
- Rabobank/Interhelp (binnenland): 088-7226767 (088-RABOSOS)
- Rabobank/Interhelp (buitenland): +31 (0) 88 722 67 67
- Overige banken (binnenland): 0800 – 0313 (gratis)
- Overige banken (buitenland): +31 (0) 30 283 53 72 (ook via collect call)

Creditcards

- ABN AMRO Bank (binnenland): 0900 – 80 16 (lokaal tarief)
- ABN AMRO Bank (buitenland): +31 (0) 342 45 33 82
- ING Card: +31 (0) 20 680 20 02
- Cards van ING Bank: +31 (0) 58 212 60 00
- Cards van Rabobank: +31 (0) 499 499 112
- Cards van Visa Cards/MasterCards: +31 (0) 20 660 06 11

2.2c Chipknip

Het tegoed op uw chipknip kunt u beschouwen als contant geld. U heeft immers geen pincode nodig om ermee te betalen. Als u de chipknip verliest of hij wordt gestolen, dan kan de vinder of dief het saldo op uw chipknip dus gewoon uitgeven, ook al heeft u de betaalpas laten blokkeren. Laad uw chipknip dus nooit met een groot bedrag.

2.2d Internetbankieren

Via internet betalen is lekker makkelijk. Wilt u het risico van misbruik beperken, dan is het niet alleen belangrijk dat u een veilige methode van online betalen kiest, maar ook dat uw computer veilig is.

- Betalen via internet verloopt elektronisch. Dat betekent dat u geen kopie krijgt van de transactiebon. Maak daarom een uitdraai van de betaalpagina en/of sla de digitale bevestiging op.
- Winkel alleen bij internetwinkels die uw privacy respecteren. Vul niet zomaar al uw gegevens in, maar ga na welke gegevens nodig zijn voor het uitvoeren van de transactie.
- Ga bij een webpagina waar u een internetbetaling verricht na of de internetverbinding beveiligd is. U herkent een beveiligde internetpagina aan het (hang)slotje boven in de menubalk bij de browsers Internet Explorer en Safari of rechtsonder in de opdrachtbalk bij de browser Mozilla Firefox. Ten tweede begint het adres van een beveiligde webpagina met 'https' (in plaats van 'http'), waarbij de s voor *secure* staat.
- iDEAL (www.ideal.nl) is een veilige manier om via internet te betalen, maar ook hierbij is het verstandig dat u voorzichtig bent. Verloopt de betaling via iDEAL anders dan u gewend bent, breek dan de transactie direct af en neem contact op met uw bank.
- Installeer antivirusprogramma's, antispywaresoftware en een firewall op uw computer en zorg dat updates automatisch worden geïnstalleerd.
- Installeer alleen programma's en applicaties via officiële bronnen. Volg de commentaren en waarderingen van deze programma's/applicaties.
- Verwijder spam en verdachte e-mails zonder deze te openen.
- Deel inlogcodes en wachtwoorden nooit met anderen.
- Gebruik een uniek wachtwoord voor de toegang tot een toepassing bij de bank en een uniek wachtwoord voor uw e-mailaccount.

2.2e Mobiel bankieren

Tegenwoordig kan er ook via de smartphone worden betaald. Daarvoor geven we u de volgende tips.

- Breng geen wijzigingen in het besturingssysteem van uw smartphone aan door middel van *jailbreaken*, *rooten* of *hacken*. Hiermee tast u ook de algehele beveiliging van uw telefoon aan en maakt u de smartphone kwetsbaar voor aanvallen.
- Installeer en update alleen programma's en applicaties via officiële bronnen, zoals de App Store of Market Place. Stel u op de hoogte van de commentaren en waarderingen van deze programma's/applicaties.
- Gebruik een uniek wachtwoord voor de toegang tot uw smartphone.
- Bewaar geen pincodes, inlogcodes en wachtwoorden, zeker niet van mobiel bankieren, op uw smartphone. Deel ze ook niet met anderen.

- Als u uw smartphone verliest of als deze wordt gestolen, meld dit dan zo snel mogelijk. Doe aangifte, laat (via uw provider) de sim-kaart zo snel mogelijk blokkeren en/of laat de telefoon leegmaken (*swipen*).

2.2f Contant geld

Controleer bankbiljetten bij ontvangst goed op de beschreven kenmerken. Zeker die van €100, €200 en €500. Als u €1 of €2 krijgt, kijk dan of het daadwerkelijk euromunten zijn en geen Turkse lira die er erg op lijken.

TIP

Extra check

Op de website van de Europese Centrale Bank vindt u aanwijzingen waarop u alert moet zijn bij bankbiljetten en munten (www.ecb.int/euro/intro/html/index.nl.html).

TIP

Cheque?

Wilt u een betaling per cheque accepteren? Vraag uw bank dan of hij de cheque niet onder gewoon voorbehoud wil afrekenen, maar ter incasso wil innemen. Uw bank controleert dan of de cheque geldig en gedekt is en boekt het bedrag pas daarna op uw rekening. Dit duurt wel wat langer, maar beperkt uw financiële risico. Ook bij een ter incasso genomen cheque kan achteraf blijken dat hij vervalst was. Dan zal de bank het geld bij u terugvorderen. Mocht u met zo'n vervalste cheque te maken krijgen, doe daarvan dan aangifte bij het plaatselijke politiebureau.

2.2g Incasso/machtiging

Over incasso's en machtigingen zijn altijd veel vragen. Geeft u een machtiging via een groene kaart? Bewaar de gele kaart dan voor als u een bedrag wilt laten terugboeken. De rode kaart is voor het stopzetten van de machtiging. Deze kaarten zijn verkrijgbaar bij uw bank.
Een internetmachtiging is geen rechtsgeldige betaalmethode. Wilt u toch via internet een geldige machtiging afgeven, dan moet u deze eerst printen en ondertekend opsturen aan het betreffende bedrijf. Maar beter kunt u betalen via iDEAL.
Vindt u dat er ten onrechte is geïncasseerd of bent u het niet eens met

het bedrag? Vraag uw bank dan binnen 56 kalenderdagen om het bedrag terug te boeken (storneren). Daar zal een bank altijd gehoor aan geven. Deze termijn geldt ook voor internetincasso's. U staat in dat geval zelfs sterker: betwist u een afboeking, dan moet de winkelier bewijzen dat hij een incassomachtiging heeft ontvangen, wat hij meestal niet kan bewijzen. Terugboeken kan alleen niet bij een doorlopende machtiging kansspelen en ook niet bij een eenmalige machtiging die u schriftelijk of telefonisch heeft gegeven. In deze gevallen kunt u het geld alleen terugkrijgen door een onterechte incassoprocedure bij uw eigen bank te starten. Neem zo nodig contact op met de leverancier. Deze weg moet u ook volgen als u te laat bent met storneren. De procedure moet binnen 13 maanden na de afschrijving zijn gestart. Anders moet u het bedrag bij het bedrijf zelf terugvragen. Een onverschuldigde incassobetaling is binnen vijf jaar terug te vorderen.
Als een bedrijf herhaaldelijk ten onrechte incasseert, vraag de bank dan het rekeningnummer van dat bedrijf te blokkeren (een selectieve blokkade) zodat het geen geld meer van uw betaalrekening kan laten afschrijven.

Meer over incasso's en machtigingen

Een bedrijf mag pas via incasso incasseren als het een incassocontract heeft afgesloten met zijn bank. Ongeveer 135.000 bedrijven hebben zo'n contract. Om geld van uw betaalrekening af te laten boeken, moet het bedrijf een geldige schriftelijke machtiging van u hebben. Heeft u telefonisch een machtiging afgegeven, dan dient u hiervan binnen enkele werkdagen een schriftelijke bevestiging te krijgen.
Let op: als u nog geen relatie heeft met het bedrijf dat de automatische incasso wil doen, is een telefonische machtiging alleen toegestaan als u het initiatief neemt. U moet dus zelf met het bedrijf bellen. Heeft u wel al een relatie met de incassant, dan mag ook het bedrijf het initiatief nemen.

2.2h Acceptgiro en overschrijvingen

- Verricht uw acceptgirobetalingen bij voorkeur via internetbankieren.
- Als u toch het papieren acceptgiroformulier wilt gebruiken, vul de acceptgiro dan altijd met een zwarte of blauwe pen in. Andere schrijfmiddelen kunnen tot fouten in de verwerking leiden.
- Controleer bij acceptgiroformulieren of het bedrag en rekeningnummer van de begunstigde overeenkomen met de factuur.

- Berg uw overschrijvingsformulieren zorgvuldig op.
- Plaats uw handtekening nooit vooraf op nog niet ingevulde overschrijvingsformulieren, maar pas als u het volledig heeft ingevuld en direct daarna naar de bank stuurt.
- Zorg dat het niet mogelijk is informatie uit uw brievenbus te vissen. Vraag een bekende uw brievenbus te legen als u langere tijd weg bent.

2.3 Cybercrime?

Iedereen kan slachtoffer worden van cybercrime en identiteitsfraude. De gevolgen zijn vaak dramatisch. Het duurt soms jaren voordat je ervan af bent. De Consumentenbond heeft hier in een artikel in de *Geldgids* van februari/maart 2011 aandacht aan besteed.
De meningen zijn verdeeld over de vraag hoe groot de kans is dat u slachtoffer wordt van identiteitsfraude. Echt harde cijfers zijn er namelijk niet, onder andere omdat Nederlandse banken – in tegenstelling tot bijvoorbeeld Amerikaanse – niet verplicht zijn elk geval te melden. Zeker is dat er per jaar iets meer dan 200.000 paspoorten op een of andere manier kwijtraken, door bijvoorbeeld verlies of diefstal, en op de zwarte markt worden verkocht.

2.3a Wie draait voor de schade op?

Banken in ons land zeggen nu dat ze de schade meestal vergoeden, maar dat gebeurt lang niet altijd. Uit een representatieve steekproef van de Consumentenbond, uitgevoerd door Intomart GfK eind 2010, blijkt dat 37% van de mensen die schade hebben opgelopen door fraude en dat bij hun bank hebben gemeld, die niet vergoed hebben gekregen. Klanten krijgen alleen hun schade vergoed als zij zorgvuldig hebben gehandeld. Maar wat is zorgvuldig? Uit het genoemde panelonderzoek blijkt dat 71% van de consumenten helemaal niet weet aan welke regels ze zich moet houden. De banken geven niet duidelijk aan wat de criteria zijn op basis waarvan zij onlineschade vergoeden. De richtlijnen zijn alleen op te maken uit de kleine lettertjes van de voorwaarden. Klanten moeten van de banken in ieder geval hun inloggegevens en transactiecodes geheimhouden. Dat is nog niet bij iedere bank even gemakkelijk. Zo stuurt ING 1,3 miljoen klanten nog steeds tancodes, gedrukt op flinterdun papier dat nota bene enigszins doorschijnend is. Kwaadwillenden kunnen ze makkelijk tegen het licht houden of uit de brievenbus halen.

2.3b Valse inlogpagina's

Volgens banken is het ook de verantwoordelijkheid van de klant om de echtheid te bepalen van hun inlogpagina's en e-mails. Deze worden soms door criminelen misbruikt om naar inloginformatie van klanten te hengelen. Dit wordt *phishing* genoemd. Uit het Nationaal Trendrapport Cybercrime en Digitale Veiligheid blijkt dat cybercriminelen hun methoden steeds verder verfijnen, waardoor de fraude moeilijker te herkennen is.
Is het redelijk om klanten het kaf van het koren te laten scheiden, terwijl valse inlogschermen en mailtjes steeds moeilijker te herkennen zijn? De Consumentenbond heeft in 2011 3000 internetters gevraagd mee te doen aan een test om te kijken of ze valse inlogpagina's en onechte mailtjes van banken zouden kunnen herkennen. Slechts 4% van de deelnemers doorzag alle fraude. Gemiddeld zaten de deelnemers er drie op de tien keer (in 31% van de gevallen) naast, terwijl zij nota bene wisten dat de test over internetfraude ging. In het dagelijks leven gaan veel mensen ervan uit dat als zij inloggen, het inlogscherm van hun bank verschijnt en niet een façade van criminelen. Uiteindelijk beslist de bank of zij overgaat tot een vergoeding of niet, afhankelijk van de omstandigheden. De meestvoorkomende reden waarom banken de schade van onlinefraude niet vergoeden, is dat ze vinden dat klanten meer hadden kunnen doen om de schade te beperken. Soms vergoedt een bank de schade, naar eigen zeggen, 'uit coulance' en niet omdat het een recht zou zijn. Banken vergoeden de schade vaak wel bij creditcardfraude en skimmen (het kopiëren van de magneetstrip van bankpassen en creditcards). Het vergoedingsbeleid is dus betrekkelijk willekeurig.

Phishing- en valse e-mails melden

- ABN AMRO: valse-email@nl.abnamro.com
- ING: valse-email@ing.nl
- Rabobank: valse-email@rabobank.nl
- SNS: valse-email@sns.nl

2.3c Regelmatig controleren

In de voorwaarden van internetbankieren is vaak opgenomen hoe frequent de klant zijn afschrijvingen digitaal moet controleren. Deze regels verschillen per bank: de DHB Bank vindt één controle per maand zorgvuldig genoeg; voor ING en de Rabobank is één keer in de twee weken voldoende; weer andere (de ASN Bank, SNS Bank en Triodos) staan op één controle per week. ABN Amro heeft het over 'regelmatig' controleren, maar laat in het midden wat dat precies inhoudt.

SEPA

In 2008 is de *Single Euro Payments Area* (SEPA) van start gegaan. Het doel van SEPA is de interne Europese markt met vrij verkeer van arbeid, diensten en goederen te bevorderen. Met de invoering van een aantal Europese betaalmiddelen, zoals een overschrijving en incasso, moeten alle inwoners en bedrijven van de eurolanden op dezelfde wijze kunnen betalen. Ook zijn er afspraken gemaakt voor een Europese 'pinmarkt'.
Sinds het begin van het jaar kunnen we buitenlandse bedrijven machtigen. Het betalen binnen Nederland en naar andere eurolanden zal steeds vaker op dezelfde manier gaan. De nationale rekeningnummers worden vervangen door Europese rekeningnummers, de *International Bank Account Numbers* (IBAN's). Het nummer van 9 cijfers wordt vervangen door 18 cijfers. Hoewel het betalingsverkeer via SEPA het gemak van de consument dient, zitten er ook nadelen aan. Onder geen enkele voorwaarde vindt de Consumentenbond het toelaatbaar dat betalen voor de Nederlandse consument duurder wordt en zij vraagt ook aandacht voor ouderen en visueel gehandicapten. Verder mag de vorming van een Europese betaalmarkt niet ten koste gaan van de Nederlandse verworvenheden. De bond zal erop toezien dat de bescherming van consumenten niet afneemt.

Als klant kun je met deze regels eigenlijk geen lange vakantie maken. In een internetcafé een bankrekening controleren is onverstandig, want er zijn computerprogramma's – malware – in omloop die alles registreren wat je intikt op je toetsenbord, dus ook de inlognaam en het wachtwoord. De Consumentenbond gaat er bij de banken op aandringen consumentvriendelijker voorwaarden op te stellen. Wij vinden een maandelijkse controle redelijk.

2.4 Banken in de fout

Sinds 1 november 2009 mogen banken niet meer goochelen met rentedata bij transacties. Valuteren is voortaan dankzij Europese regels verboden.

Daarmee is een van de grootste bankergernissen verleden tijd. Maar als je je oor te luisteren legt bij onze afdeling Service & Advies, hoor je nog veel ander groot en klein leed.

2.4a Betalen voor de erfenis

Tot ergernis van veel mensen zadelen banken klanten soms onterecht op met kosten voor een verklaring van erfrecht. Erfgenamen hebben zo'n verklaring van de notaris vaak nodig om het geld van de rekening van een overledene te kunnen opnemen. Maar een verklaring van erfrecht kost vaak honderden euro's. In sommige gevallen is het helder wie de erfgenaam van een overledene is. Had de overledene geen testament, dan is de gehuwde of geregistreerde partner de wettelijke erfgenaam. Toch gaan banken hiermee verschillend om. Op voorstel van minister Donner heeft de Nederlandse Vereniging van Banken (NVB) ermee ingestemd dat banken een verklaring van erfrecht bij het overlijden van een partner (huwelijk of geregistreerd partner) alleen nog in bepaalde situaties opvragen. Sinds januari 2012 vragen ze geen verklaring meer als:

- er sprake is van een huwelijk of geregistreerd partnerschap;
- er geen testament is;
- en er niet meer dan €100.000 op de rekening staat.

Als het saldo hoger is of in complexe situaties is de verklaring nog wel nodig. Het is verstandig ook zelf bij de betreffende bank na te gaan wat de eisen en procedures zijn. In het geval van een testament kunnen bijvoorbeeld andere regels gelden.

2.4b Acceptgiro's met een luchtje

Steeds meer mensen verwerken acceptgiro's zelf via internet. Met een paar klikken zijn alle rekeningen voldaan. Banken hebben er dus geen werk meer mee, maar toch brengen ze vaak kosten in rekening bij bedrijven die acceptgiro's versturen. En die berekenen ze vaak door aan de consument.
Geen stijl, vindt de Consumentenbond. Het moet altijd vooraf duidelijk zijn of er kosten zitten aan het betalen met een acceptgiro. Bovendien moeten die kosten redelijk zijn. Ook horen consumenten altijd de keus te hebben uit een of twee alternatieve, gratis betaalmethoden. Soms wordt als enig alternatief de automatische incasso geboden. Deze is niet populair bij de consument, omdat die het gevoel heeft de touwtjes uit handen te geven.
Er zijn alternatieven die meer in het midden liggen. AcceptEmail bijvoor-

beeld is een digitale variant van de acceptgiro. Via een e-mail krijgt u een rekening met bovenin een strook waarop u kunt klikken. Daardoor belandt u op een pagina waar u met iDEAL de rekening kunt betalen. Een ander alternatief zijn digitale nota's. Die worden voornamelijk verstuurd door gemeenten en waterschappen, en komen direct in uw internetbankierprogramma terecht. Daar hoeft u ze alleen te controleren en te verzenden.

2.4c Betalen om te sparen

Sparen kan bij de meeste grote banken alleen als u er ook een betaalrekening heeft. Maar betaalrekeningen kosten geld. Vooral internetspaarrekeningen zijn niet 'los' verkrijgbaar bij de grote Nederlandse banken. Bovendien verplichten ze u een betaalpas af te nemen, omdat u die nodig heeft bij het inloggen.

2.4d Bankhoppen

Een rekening openen bij de concurrent is zo gepiept, maar je kunt je eigen rekeningnummer niet meenemen. Dat is te duur, volgens de banken. Ze zeggen ook dat Europese ontwikkelingen dit onmogelijk maken. Om de consument tegemoet te komen is in 2004 de Overstapservice in het leven geroepen, maar die werkt lang niet altijd optimaal.
Geld pinnen via andere banken kan wel. U kunt overal geld uit de muur trekken, maar niet onbeperkt. U mag maar een keer per dag maximaal €250 pinnen bij een gastbank. De banken hebben deze grens onderling afgesproken. Een woordvoerder van de NVB noemt deze overeenkomst een 'ontmoedigingsbeleid voor fraudeurs'. Het moet de schade van misbruik beperken, bijvoorbeeld omdat iemand met een gestolen pas maar beperkt geld kan opnemen. Van de andere kant: banken betalen elkaar per transactie. Door het gastgebruik aan banden te leggen, houden ze ook de kosten laag.
Ook overschrijvingen van de ene naar de andere bank worden om veiligheidsredenen begrensd. Iedere bank hanteert andere regels op dit gebied. Wel is het vaak mogelijk aan de balie grotere bedragen over te maken. Soms kunt u aan de bank vragen de limiet voor overschrijvingen te verhogen.

2.4e Gammele betaalpassen

Bankpassen hebben niet het eeuwige leven. Hoewel u recht heeft op een deugdelijke pas, brengen sommige banken een bedrag van een paar euro in rekening voor de vervanging van een defecte betaalpas. De Consumentenbond vindt dat alle banken passen met een kapotte magneetstrip of chip gratis moeten vervangen als de klant er zorgvuldig mee is omgegaan.

2.4f Foutje, bedankt!

Als u per ongeluk geld overmaakt naar een verkeerd rekeningnummer is dat knap vervelend. Het is nog vervelender dat uw bank in zo'n geval weinig voor u kan doen. Banken zijn namelijk niet bevoegd uw geld terug te halen. Ze kunnen hooguit bemiddelen door de ontvanger een brief te sturen met het verzoek het geld aan u terug te storten. De adresgegevens vragen ze tegen betaling op bij Equens, de organisatie die het betalingsverkeer in Nederland verwerkt. Reageert de ontvanger niet binnen een redelijke termijn, dan krijgt u zijn gegevens van de bank. Banken zijn hierin wel terughoudend vanwege de privacywetgeving. Als de ontvanger het geld niet wil terugboeken, zult u zelf (juridische) maatregelen moeten nemen.
Het zou fijn zijn als banken u helpen fouten te voorkomen. In de Algemene Bankvoorwaarden staat dat banken niet de naam en het rekeningnummer hoeven te controleren. Dit betekent dat het geld gewoon wordt overgemaakt als het verkeerd ingetypte rekeningnummer bestaat. Maar in dit digitale tijdperk moet het toch niet zo moeilijk zijn te controleren of de naam en het nummer wel bij elkaar horen? De meeste banken controleren alleen of het ingevulde rekeningnummer geldig is.

2.4g Betalen voor afschriften

De opkomst van internetbankieren betekent het einde van de papieren rekeningafschriften. Afhankelijk van uw bank, krijgt u van een keer per week tot een keer per kwartaal een gratis afschrift. Wilt u dit vaker, dan moet u bijbetalen. Uiteraard kunt u er ook voor kiezen helemaal geen afschriften meer in de bus te krijgen. Download en print dan regelmatig zelf een overzicht, want de Belastingdienst wil dat u uw rekeninggegevens vijf jaar bewaart. De Consumentenbond wil daarom dat het bij alle banken mogelijk is uw betalingsverleden tot vijf jaar terug gratis in te zien.

TIP

Betaaltips

- Voorkomen is beter dan genezen, dus controleer bij betalingen altijd heel zorgvuldig of het goede rekeningnummer is ingevuld.
- Vaak gebruikte rekeningnummers kunt u bij internetbankieren het best opslaan in het adresboek.

3 BELASTINGEN

Aan belasting betalen ontkomt niemand. Maar wat als er problemen ontstaan met de fiscus?

Als u op correcte wijze aangifte heeft gedaan, heeft u daarmee voldaan aan uw verplichtingen. Maar er kunnen zich onverwachte dingen voordoen, zoals een correctie van de inspecteur op uw aangifte. Of u bent zelf iets vergeten. Wat kunt u dan doen?

3.1 Correctie op de aangifte

3.1a U corrigeert uw aangifte zelf

Na indiening mag u de aangifte altijd nog corrigeren, bijvoorbeeld omdat u een inkomsten- of aftrekpost over het hoofd heeft gezien. Zulke correcties kunnen dus leiden tot zowel een hoger als een lager belastbaar inkomen.
Ook na het opleggen van de aanslag kunt u nog corrigeren. Leidt de correctie tot een verlaging van uw aanslag, dan moet u tegelijkertijd bezwaar aantekenen om een lagere aanslag opgelegd te krijgen. Dat moet gebeuren binnen zes weken na de dagtekening van het aanslagbiljet.
U kunt uw aangifte ook nog corrigeren na de uitspraak op uw bezwaarschrift. U moet dan binnen zes weken na dagtekening van de uitspraak een beroepschrift indienen.

3.1b Fiscus corrigeert uw aangifte

Ook de fiscus kan uw aangifte corrigeren. Over het algemeen krijgt u daarvan schriftelijk bericht. Mocht de fiscus nalaten u te berichten, dan blijft de correctie geldig, tenzij natuurlijk uw eventuele bezwaar of beroep wordt gehonoreerd. Als de fiscus een definitieve aanslag nog wil corrigeren, moet hij een navorderingsaanslag (zie par. 3.2c) opleggen. Een aangifte die opzettelijk onjuist of onvolledig is ingevuld, wordt niet alleen gecorrigeerd maar kan ook worden bestraft met een boete of strafvervolging (zie par. 3.2c).

TIP

Controleer de voorlopige teruggaaf

Voor 2012 heeft u, als u over 2011 ook al een voorlopige teruggaaf had, automatisch een beschikking (beslissing) gekregen waarin de Belastingdienst uw voorlopige teruggaaf over 2012 heeft berekend op grond van de voorlopige teruggaaf over 2011. Dat is handig, want u hoeft dus zelf geen verzoek meer te doen. Maar het is wel nuttig de beschikking goed te bekijken en bij gewijzigde omstandigheden bezwaar te maken, bijvoorbeeld omdat de woz-waarde van uw woning niet juist is of uw persoonlijke situatie of inkomen in 2011 flink is gewijzigd.

3.2 Soorten aanslagen

U kunt het oneens zijn met een aanslag van de fiscus. Voordat we daar dieper op ingaan, behandelen we even kort de verschillende soorten aanslagen.

3.2a Voorlopige aanslag

De fiscus legt u een voorlopige aanslag op als het aannemelijk is dat u nog een aanslag opgelegd zult krijgen. Ook een voorlopige teruggaaf wegens aftrekposten of heffingskortingen wordt in de vorm van een voorlopige (negatieve) aanslag geregeld. Een voorlopige aanslag kan betrekking hebben op een eerder belastingjaar, maar ook op het lopende.

U kunt in 2012 een voorlopige aanslag opgelegd krijgen over een al verstreken belastingjaar, bijvoorbeeld 2010 of 2011. Dat gebeurt dan meestal aan de hand van de door u ingediende aangifte of het voorlopige-aanslagbiljet als u om uitstel heeft gevraagd. Een voorlopige aanslag over een verstreken belastingjaar moet u normaal gesproken binnen zes weken na dagtekening van het aanslagbiljet betalen.

U kunt in 2012 ook een voorlopige aanslag over 2012 opgelegd krijgen. Deze kan zijn gebaseerd op de veronderstelling dat u over dat jaar zeer waarschijnlijk meer belasting verschuldigd bent dan op uw (loon)inkomsten wordt ingehouden. In de regel wordt deze voorlopige aanslag opgelegd voor 31 januari. Later kan echter ook, bijvoorbeeld als ze wordt gebaseerd op de door u ingediende aangifte inkomstenbelasting 2011 of op het door u ingediende voorlopige-aanslagbiljet bij het verzoek om uitstel. Een voorlopige aanslag die in het jaar zelf wordt opgelegd, mag u in termijnen betalen.

TIP

Betalingskorting

U krijgt korting als u een voorlopige aanslag over het lopende jaar in één keer (vooruit)betaalt voordat de eerste vervaldag is verstreken. Het geld moet op die dag op de rekening van de Belastingdienst staan, dus bedenk dat de verwerking van uw betaling ook tijd kost. De aanslag moet uit ten minste twee termijnen bestaan. Op de aanslag staat hoeveel korting u krijgt.

De Belastingdienst mag u meer voorlopige aanslagen opleggen. U is bijvoorbeeld een voorlopige aanslag opgelegd op grond van een schatting van uw inkomsten over 2011, maar uit de door u ingediende aangifte 2011 blijkt dat die schatting te laag was. In dat geval kan de Belastingdienst een tweede voorlopige aanslag opleggen.

Uitstel van betaling

Het kan zijn dat u veel aanslagen tegelijkertijd krijgt opgelegd, bijvoorbeeld een voorlopige aanslag over het voorgaande jaar en een voorlopige aanslag over het lopende jaar. Dan kunt u om uitstel van maximaal vier maanden betaling vragen. Dat kan schriftelijk en telefonisch bij de BelastingTelefoon (0800-0543). Dit uitstel wordt altijd toegestaan en u ontvangt binnen vijf werkdagen een bevestiging per brief.

Voor telefonisch uitstel van betaling gelden wel voorwaarden:

- u bent geen ondernemer;
- als u ondernemer bent geweest, dan mag u geen omzet- of loonbelastingschuld open hebben staan;
- de belastingschuld is niet hoger dan €20.000;
- het gaat niet om een conserverende aanslag of een beschikking aansprakelijkheidstelling;
- u heeft geen andere belastingaanslagen openstaan waarvoor u al een aanmaning of dwangbevel heeft ontvangen.

Als u voor langer dan vier maanden uitstel van betaling wilt, moet u een formulier invullen en opsturen. Dit kunt u downloaden van www.belastingdienst.nl of bestellen via de BelastingTelefoon. U kunt zelf een voorstel voor een betalingsregeling doen. De belasting moet in ieder geval binnen 12 maanden zijn betaald. Bij de beoordeling van uw verzoek kijkt de Belastingdienst naar uw inkomen en vermogen. U ontvangt binnen zes weken een brief of uw betalingsregeling akkoord is.

3.2b Definitieve aanslag

De definitieve aanslag wordt in de regel opgelegd op basis van de door u ingediende aangifte inkomstenbelasting. Als u de aangifte niet op tijd heeft ingediend, kunt u ook ambtshalve een definitieve aanslag opgelegd krijgen. Een ambtshalve aanslag gebeurt op initiatief van de Belastingdienst, dus zonder dat u aangifte heeft gedaan.
De definitieve aanslag moet door de Belastingdienst worden opgelegd binnen drie jaar na het tijdstip waarop de belastingschuld is ontstaan. Voor de inkomstenbelasting 2011 eindigt de termijn dus op 31 december 2014. De verjaringstermijn wordt verlengd met de volledige termijn waarvoor u uitstel heeft gevraagd en gekregen voor het inleveren van het aangiftebiljet. Dat geldt zelfs als u de aangifte eerder indient.

3.2c Navorderingsaanslag

Als de definitieve aanslag eenmaal is opgelegd, bent u er nog niet helemaal vanaf. De fiscus kan u namelijk binnen vijf jaar na het ontstaan van de belastingschuld een navorderingsaanslag sturen. Voor 2011 kan dat dus tot en met 2016. Deze termijn wordt verlengd met de termijn van een eventueel uitstel voor het indienen van uw aangifte.
Van het voornemen van navordering stuurt de fiscus u een kennisgeving met daarin de details van de navordering, zoals het bedrag van de aanslag. U kunt daar dan binnen een bepaalde termijn op reageren. Dat hoeft niet,

Langer navorderen

Voor verzwegen buitenlands inkomen en vermogen geldt een navorderingstermijn van 12 jaar. De 12-jaarstermijn is toegestaan als de Nederlandse Belastingdienst geen aanwijzingen had over de verzwegen tegoeden/inkomsten. Als deze aanwijzingen er wel zijn, is de 12-jaarstermijn niet toegestaan.
De 12-jaarstermijn geldt ook als het feit dat tot een navordering kan leiden binnen de normale vijfjaarstermijn bekend is. De inspecteur hoeft de navorderingsaanslag dan niet binnen vijf jaar op te leggen, maar moet wel met de nodige voortvarendheid te werk gaan.

maar soms kunt u er een navorderingsaanslag mee voorkomen. Soms vergeet de fiscus een kennisgeving te sturen, maar daarmee is de navorderingsaanslag niet ongeldig geworden.
De fiscus zal over het algemeen met de bewijzen voor een navorderingsaanslag moeten komen. Alleen als u de aangifte niet (volledig) heeft ingevuld, kunt u te maken krijgen met een omkering van de bewijslast. U moet dan bewijzen dat de fiscus het fout heeft.

Nieuw feit

Het is goed om te weten dat navordering door de fiscus in principe alleen plaatsvindt als er sprake is van een nieuw feit. Dat is een feit dat de fiscus bij de behandeling van uw aangifte niet wist of redelijkerwijs niet kon weten. Maar de eis van een nieuw feit geldt niet:

- als u de aangifte opzettelijk verkeerd heeft ingevuld, u bent dan te kwader trouw;
- als een voorlopige aanslag, een voorheffing of een voorlopige teruggaaf ten onrechte tot een te hoog bedrag is verrekend;
- als de verdeling van gemeenschappelijke inkomens- of vermogensbestanddelen niet goed is gebeurd (u geeft minder dan 100% aan).

De mogelijkheden om een navorderingsaanslag op te leggen zijn sinds 1 januari 2010 uitgebreid. Navordering wordt nu ook mogelijk als de belastingplichtige redelijkerwijs kon weten dat de belastingaanslag door een fout onjuist is vastgesteld of achterwege is gebleven ('kenbare fout'). Het gaat daarbij om een belastingplichtige met een gemiddelde kennis van en een gemiddeld inzicht in het fiscale recht.

Fout van de fiscus

Ook fouten of verzuimen van de Belastingdienst kunnen een navordering in de weg staan. Bijvoorbeeld als de fiscus uw aangifte niet goed heeft gecontroleerd waardoor hij het navorderingsfeit over het hoofd heeft gezien. De fiscus mag dan geen navorderingsaanslag opleggen. Schrijf- of tikfouten mag de fiscus overigens herstellen. Fouten van personeel dat op andere eenheden werkzaam is, kunt u uw inspecteur niet aanrekenen (hij mag dan navorderen), maar wel de fouten van ambtenaren van zijn eigen aanslageenheid (nu mag hij niet navorderen).

Boete

Bij een navorderingsaanslag krijgt u doorgaans ook een boete, behalve als u niets te verwijten valt, bijvoorbeeld als u een standpunt heeft ingenomen dat onjuist blijkt maar wel pleitbaar was. Als u met voldoende zorg een belastingadviseur heeft ingeschakeld om uw belastingzaken te behartigen en u hem alle noodzakelijke stukken en inlichtingen heeft gegeven, wordt een fout van deze adviseur niet aan u toegerekend en krijgt u ook geen boete.
Als er wel iets te verwijten valt, kunt u een vergrijpboete krijgen. Bij grove schuld bedraagt de boete meestal 25% van de na te vorderen belasting, bij opzet 50% en bij ernstige of relatief omvangrijke fraude 100%. Sinds 1 juli 2009 kan de belasting die in box 3 wordt nagevorderd worden beboet met 300%. Bij grove schuld zal de boete 75% bedragen, bij opzet 150% en alleen bij herhaalde overtreding zal de maximumboete van 300% worden opgelegd.
In enkele gevallen wordt de boete kwijtgescholden of verminderd. Bijvoorbeeld als uw vergrijp niet in verhouding staat tot de boete of als u er financieel slecht voor staat.
Wordt buitenlands vermogen binnen twee jaar na het doen van onjuiste of onvolledige aangifte alsnog opgegeven voordat de inspecteur met de onjuistheid of onvolledigheid bekend is, dan legt de fiscus geen boete op. Vindt de vrijwillige correctie plaats na afloop van deze tweejaarsperiode, dan volgt een boete van 30%.

3.2d Conserverende aanslag

Soms wordt een aanslag opgelegd zonder de bedoeling deze meteen te innen. U hoeft deze alleen te betalen onder bepaalde omstandigheden. Dit geldt in de volgende situaties.

- U emigreert naar het buitenland en heeft in het verleden premies voor lijfrenten in aftrek gebracht. U krijgt een conserverende aanslag voor de belasting over de waarde van de polis, verhoogd met 20% revisierente. Woont u in een land waarmee Nederland voor 1 januari 2001 een verdrag ter voorkoming van dubbele belasting heeft gesloten, dan wordt de conserverende aanslag opgelegd over de afgetrokken premies. Deze aanslag wordt pas geïnd als u deze lijfrente binnen een termijn van tien jaar afkoopt of een andere 'verboden' handeling verricht. Anders vervalt de aanslag na deze tien jaar. Bij emigratie naar landen binnen de EU verleent de ontvanger automatisch uitstel van betaling, zonder het stellen van zekerheid (zoals een bankgarantie). Voor emigratie naar andere landen is het stellen van zekerheid nog wel vereist en zult u om uitstel van betaling moeten verzoeken.

- U emigreert naar het buitenland en heeft in Nederland pensioen opgebouwd. U krijgt een conserverende aanslag opgelegd voor de belasting over de volle waarde van uw pensioenaanspraak. Woont u in een land waarmee Nederland voor 1 januari 2001 een verdrag ter voorkoming van dubbele belasting heeft gesloten, dan wordt de conserverende aanslag opgelegd over de afgetrokken premies. Ook hier geldt dat de aanslag niet wordt geïnd als het pensioen normaal wordt afgewikkeld en dat de aanslag na tien jaar vervalt. Bij emigratie naar landen binnen de EU verleent de ontvanger automatisch uitstel van betaling, zonder het stellen van zekerheid. Voor emigratie naar andere landen is het stellen van zekerheid nog wel vereist en zult u om uitstel van betaling moeten vragen.
- Als u emigreert en u een kapitaalverzekering eigen woning heeft, kunt u een aanslag krijgen voor het belaste rentebestanddeel dat is opgebouwd in deze verzekering. Meestal is de uitkering belastingvrij, maar het kan bijvoorbeeld zijn dat het verzekerde kapitaal hoger is dan het vrijstellingsbedrag. De aanslag wordt geïnd op het moment dat uw woning geen eigen woning meer is (dus bij verkoop), maar uiterlijk twee jaar na emigratie.
- Als u emigreert en u een aanmerkelijk belang (5% of meer van de aandelen) in een besloten of naamloze vennootschap heeft, mag er een conserverende aanslag worden opgelegd. Het Hof van Justitie heeft bepaald dat zo'n aanslag niet in strijd is met het Europese recht als automatisch uitstel van betaling wordt verleend. Voor landen buiten de EU is het stellen van zekerheid nog steeds verplicht, bijvoorbeeld via een bankgarantie.

TIP

Meer informatie

Veel meer informatie over (problemen rond) belastingen vindt u in onze *Belastinggids 2012*.

3.3 Bezwaar, beroep en cassatie

3.3a Bezwaar

Als u het niet eens bent met een voorlopige, definitieve of navorderingsaanslag, kunt u binnen zes weken na dagtekening van het aanslagbiljet een bezwaarschrift bij de Belastingdienst indienen. Als u het bezwaarschrift per post stuurt, moet het binnen zeven weken na dagtekening zijn ontvangen

door de Belastingdienst. U kunt bezwaar- en beroepschriften niet per e-mail of fax sturen. U moet het bezwaarschrift voorzien van uw naam, adres en burgerservicenummer. U moet duidelijk vermelden tegen welke aanslag u bezwaar maakt en moet het bovendien motiveren.
Als u nog tijd nodig heeft om gegevens voor uw motivering te verzamelen, kunt u ook een pro-formabezwaarschrift indienen, waarin u tevens om uitstel van uw motivering vraagt. Daarmee stelt u dan in eerste instantie uw rechten veilig. Dat moet u wel doen binnen de bezwaartermijn.
De termijn voor afhandeling van het bezwaar is zes weken. De fiscus heeft het recht deze termijn eenzijdig met zes weken te verlengen. En als u daarmee akkoord gaat, kan de termijn nog verder worden verlengd. Bedenk wel dat invorderingsrente wordt geheven als de fiscus achteraf gelijk krijgt, ook over de termijn waarmee de afhandeling is verlengd. Doet de inspecteur geen uitspraak binnen deze termijn, dan kunt u hem dwingen binnen twee weken uitspraak te doen op straffe van een dwangsom.
Het bezwaarschrift moet worden afgehandeld door een andere behandelend ambtenaar dan degene die uw aanslag heeft geregeld; anders wordt, volgens een uitspraak van het Hof in Den Bosch, de aanslag vernietigd en heeft u recht op teruggaaf van het griffierecht en een vergoeding van proceskosten. Bovendien moet u, als u daarom verzoekt, worden gehoord en moet de fiscus hiervan een verslag opstellen.
Een bezwaarschrift beschouwt de fiscus automatisch als een verzoek om uitstel van betaling, mits het bezwaarschrift het bedrag vermeldt dat wordt bestreden en een berekening van dat bedrag bevat. In alle andere gevallen moet u expliciet om uitstel van betaling vragen.

TIP

Aangetekend

Verzend uw bezwaarschrift aangetekend of geef het tegen een ontvangstbewijs bij de Belastingdienst af. U kunt ook elektronisch bezwaar maken via www.belastingdienst.nl. Daarbij kunt u tegelijkertijd uitstel van betaling vragen voor het bestreden bedrag. U heeft hierbij uw DigiD nodig.

Bezwaar te laat ingediend

Als de bezwaartermijn is verstreken, kunt u alsnog in aanmerking komen voor behandeling van uw bezwaar. De oorzaak van de te late indiening van het bezwaarschrift moet dan wel buiten uw macht liggen. Er moet bijvoorbeeld sprake zijn geweest van een poststaking, van verkeerde voorlichting door de fiscus of van door de fiscus verkeerd geadresseerde stukken. De termijn van zes weken wordt dan verlengd. Als de vertraging niet buiten uw macht ligt, kunt u nog slechts een verzoek om ambtshalve herziening doen.

Ambtshalve herziening
Als uw bezwaartermijn is verlopen en een verzoek om termijnverlenging niets heeft opgeleverd, kunt u de inspecteur verzoeken de aanslag ambtshalve te herzien. Dat kan alleen als er sprake is van een vergissing of een omissie die zeker zou hebben geleid tot een andere aanslag als een en ander destijds bekend was geweest. De herziening kan tot vijf jaar terug plaatsvinden.

Vergoeding kosten bezwaarfase
Voor de kosten in de bezwaarfase is een regeling opgenomen in de wet. U moet uitdrukkelijk en voor de uitspraak verzoeken om toekenning van deze vergoeding. U krijgt deze alleen als de Belastingdienst onrechtmatig handelt (dus de wet verkeerd heeft uitgelegd) of gewoon een duidelijke fout heeft gemaakt, en dus niet als het gaat om verschillende interpretaties van feiten. U heeft alleen recht op vergoeding als u zich door een derde beroepsmatig laat bijstaan, bijvoorbeeld door een belastingadviseur. Bovendien kunt u kosten van een getuige, deskundige of tolk en reis- en verblijfkosten alsmede verletkosten vergoed krijgen. Het moet wel redelijk zijn dat u voor de behandeling van het bezwaar zulke kosten maakt.
De hoogte van de vergoeding wordt vastgesteld aan de hand van een puntenstelsel, waarbij 1 punt een vergoeding oplevert van €218. Het indienen van een bezwaarschrift levert 1 punt op. De inspecteur kan dit echter verminderen als het om een licht geval gaat. Dat mag hij niet uitsluitend beoordelen

TIP

Bezwaar en voorlopige aanslag
Het kan zijn dat u in een bepaald jaar een incidenteel hoge inkomstenpost heeft en om een voorlopige aanslag verzoekt. De computersystemen van de Belastingdienst zullen dan waarschijnlijk over het volgende jaar ook een voorlopige aanslag opleggen. Als u daartegen bezwaar laat maken door een gemachtigde, heeft u recht op een vergoeding van de kosten van bezwaar. De belastingrechter vindt dat het risico van deze handelwijze voor rekening van de inspecteur komt.

aan de hand van het financiële belang. Het werk dat de gemachtigde (belastingadviseur) heeft moeten verrichten, is veel belangrijker. Het bijwonen van een hoorzitting levert eveneens 1 punt op en het verschijnen op een nadere hoorzitting 0,5 punt. Dat is in de meeste gevallen verre van kostendekkend. De vaste vergoeding wordt alleen toegekend als de gemachtigde proceshandelingen verricht (het bezwaar indient). Als de gemachtigde alleen advies geeft over de inhoud en u zelf het bezwaarschrift opstelt, is er wel ruimte voor een proceskostenvergoeding, maar die is lager dan het vaste bedrag.

3.3b Beroep bij de rechtbank

Tegen de uitspraak van de fiscus op uw bezwaarschrift kunt u een beroepschrift indienen bij de rechtbank. U kunt ook beroep aantekenen als de fiscus niet of te laat een uitspraak doet op uw bezwaarschrift (fictieve weigering). Voor de behandeling van uw beroepschrift moet u €41 griffierecht betalen. De rechtbank kan mondeling of schriftelijk uitspraak doen. U kunt tegen beide uitspraken hoger beroep instellen bij het gerechtshof.
In het beroepschrift moet u duidelijk vermelden om welke aanslag het gaat. U moet een kopie van de aanslag en de uitspraak op het bezwaarschrift meesturen. Bij het versturen van het bezwaarschrift per post geldt een termijn van zes weken na dagtekening van de uitspraak. Bovendien moet het beroepschrift binnen zeven weken zijn ontvangen. En ook hier bestaat de mogelijkheid van een pro-formaberoepschrift.

TIP

Denk aan uitstel van betaling

Als u beroep heeft ingesteld, houdt dit niet automatisch uitstel van betaling in. U moet bij de ontvanger om uitstel vragen en bij het verzoek een kopie van het beroepschrift meesturen. De ontvanger is verplicht dit uitstel van betaling te verlenen.

Als u door omstandigheden die buiten uw macht lagen de beroepstermijn heeft laten verlopen, kunt u, net als bij het te laat indienen van een bezwaarschrift, toch nog voor behandeling van het beroep in aanmerking komen. U dient dan alsnog een beroepschrift in en vermeldt daarin waarom u het beroep niet eerder heeft kunnen instellen.
Als u het met de inspecteur eens bent over de vaststelling van de feiten, maar niet over de uitleg van de rechtsregels, kunt u voorstellen het hoger beroep

bij het gerechtshof over te slaan en direct cassatieberoep bij de Hoge Raad in te stellen. Dit heet een sprongcassatie. De inspecteur moet daar wel mee akkoord gaan. Ook de inspecteur kan sprongcassatie voorstellen. U moet wel oppassen met het akkoord gaan, want bij de Hoge Raad kunt u niet meer tornen aan de vastgestelde feiten.

3.3c Hoger beroep bij gerechtshof

Als u het niet eens bent met de uitspraak van de rechtbank, kunt u hoger beroep instellen bij het gerechtshof. Daarvoor is €112 griffierecht verschuldigd. Ook de inspecteur kan in beroep gaan. Het gerechtshof behandelt de hele zaak opnieuw en zal zich ook over de feiten buigen. Het gerechtshof doet mondeling of schriftelijk uitspraak. Daarbij kan het de zaak terugverwijzen naar de rechtbank of zelf uitspraak doen.
Als u door omstandigheden die buiten uw macht lagen de beroepstermijn van zes weken heeft laten verlopen, kunt u toch nog voor behandeling van het hoger beroep in aanmerking komen. U dient dan alsnog een beroepschrift in en vermeldt daarin waarom u het hoger beroep niet eerder heeft kunnen instellen.

3.3d Cassatie

Tot slot kunt u tegen de hofuitspraak in cassatie gaan bij de Hoge Raad, en wel binnen zes weken na dagtekening van de hofuitspraak. Het griffierecht is €111. Cassatie is alleen mogelijk als het hof rechtsregels heeft geschonden. Puur feitelijke kwesties kunt u dus niet aan de Hoge Raad voorleggen. Zo kunt u ook geen nieuwe feiten aanvoeren.

3.3e Vergoeding proceskosten

Zowel de rechtbank, het gerechtshof als de Hoge Raad kan u een vergoeding voor proceskosten in de beroepsfase toekennen. De hoogte is onder meer afhankelijk van het financieel belang van de zaak en wordt vastgesteld aan de hand van een puntenstelsel, waarbij 1 punt een vergoeding oplevert van €437. Het indienen van een beroepschrift levert u normaal gesproken 1 punt op, evenals het verschijnen ter zitting. U krijgt deze vergoeding als de rechter u geheel of gedeeltelijk in het gelijk stelt en als u beroepsmatige hulp, zoals een belastingadviseur, heeft ingeschakeld.
Bovendien kunt u kosten van een getuige, deskundige of tolk en reis- en verblijfkosten alsmede verletkosten vergoed krijgen. De vergoeding is lang niet kostendekkend. U kunt ook het betaalde griffierecht terugkrijgen. U

heeft mogelijk zelfs recht op een proceskostenvergoeding via uw rechtsbijstandsverzekering.

3.4 Regels rond de betaling

Voor aanslagen inkomstenbelasting en premieheffing volksverzekeringen geldt een betalingstermijn van zes weken na dagtekening van het aanslagbiljet. Hierop zijn twee uitzonderingen:

- een aanslag die betrekking heeft op het lopende jaar mag u in evenveel termijnen betalen als er na de maand van de dagtekening nog aan hele maanden in het belastingjaar resteren;
- voor navorderingsaanslagen geldt een betalingstermijn van een maand.

3.4a Te laat betalen

Als u te laat betaalt, krijgt u een aanmaning, gevolgd door een dwangbevel en een herhaalbevel. Ten slotte volgt inbeslagneming van uw bezittingen of loonbeslag bij uw werkgever. Elke fase jaagt u steeds verder op kosten. Probeer dit soort complicaties daarom te vermijden en overleg tijdig met de fiscus.

Sinds 2011 kunt u bij te late betaling een verzuimboete krijgen van 5% van de niet, gedeeltelijk niet of niet binnen de termijn betaalde belasting. Die boete bedraagt minimaal €50. In uitzonderlijke gevallen kan hij hoger zijn dan 5%, maar nooit meer dan €4920 per verzuim. Bij een aanslag die in termijnen mag worden voldaan, kan deze boete voor iedere te late betaling worden opgelegd. Vooralsnog worden deze verzuimboetes vooral opgelegd aan mensen die stelselmatig niet voldoen aan hun betalingsverplichting. Een enkele te late betaling zal geen aanleiding geven tot het opleggen van deze boete.

3.4b Uitstel van betaling

Als u bezwaar maakt tegen een aanslag geldt dit ook als verzoek om uitstel van betaling voor het deel van de aanslag dat u bestrijdt. U moet het bestreden bedrag wel in het bezwaarschrift vermelden en ook de berekening daarvan. In alle andere gevallen moet u expliciet om uitstel van betaling verzoeken. Dat uitstel wordt u doorgaans automatisch toegekend. Mocht de Belastingdienst desondanks uitstel weigeren, dan kunt u:

- zich beklagen bij de directie Particulieren van de Belastingdienst te Utrecht, de Nationale ombudsman of de Commissie voor de Verzoekschriften van de Tweede Kamer;

- de burgerlijke rechter in een kort geding vragen de Belastingdienst te verbieden invorderingsmaatregelen te nemen.

3.4c Verjaring

Het recht om een opgelegde aanslag in te vorderen, verjaart na vijf jaar. Bij uitstel van betaling wordt deze verjaringstermijn echter verlengd met de duur van het uitstel. En als de Belastingdienst nog tijdens de verjaringstermijn tot een vervolgingsactie overgaat, begint vanaf dat moment weer een nieuwe verjaringstermijn van vijf jaar.

3.4d Heffingsrente

Als u een aanslag krijgt opgelegd die u moet betalen, brengt de fiscus over het bedrag van de aanslag heffingsrente in rekening. Heffingsrente is ook verschuldigd bij navorderingsaanslagen. Sinds 1 januari 2010 wordt de rente berekend vanaf 1 januari van het jaar volgend op het belastingjaar. Dat geldt voor aanslagen over de belastingjaren 2010 en later.
U kunt ook heffingsrente van de fiscus ontvangen, namelijk als de fiscus u na 1 juli van het volgende kalenderjaar de te veel betaalde belasting teruggeeft. Heffingsrente wordt niet vergoed bij teruggaven die voortvloeien uit verliesverrekening of middeling. Als de belastingschuld of -vordering niet tot box 3 behoort, valt de daarmee samenhangende heffings- en invorderingsrente ook niet in box 3.
De heffingsrente wordt bij beschikking vastgesteld. Daartegen kunt u binnen zes weken bezwaar en beroep aantekenen. De heffingsrente staat normaal gesproken op het aanslagbiljet vermeld. Als u bezwaar tegen de aanslag maakt, maakt u daarmee gelijk bezwaar tegen de heffingsrente. U kunt ook apart bezwaar maken tegen het bedrag van heffingsrente.
De rente wordt enkelvoudig berekend (dus geen rente op rente). Voor het eerste kwartaal van 2012 is deze rente 2,85%.

Vermindering van heffingsrente

Heffingsrente is geen boete voor het te laat betalen van een aanslag. Het is een puur economische heffing: u heeft gedurende een bepaalde periode geld van de staatskas gehad. Dat geld heeft u op de bank kunnen zetten en daarvan heeft u rente kunnen trekken. Die rente behoort eigenlijk niet u, maar de overheid toe.
U kunt heffingsrente voorkomen of beperken door een te hoge voorlopige teruggaaf te laten verminderen of door een voorlopige aanslag aan te vragen.

Als deze aanvraag alle gegevens bevat die nodig zijn om de hoogte van de aanslag te kunnen bepalen, heeft de inspecteur drie maanden de tijd deze aanslag op te leggen. Komt de aanslag later, dan mag er geen heffingsrente meer worden berekend.
De Hoge Raad heeft bepaald dat het indienen van een aangifte moet worden beschouwd als een verzoek om het opleggen van een voorlopige aanslag. Als de (voorlopige) aanslag niet binnen drie maanden na het indienen van de aangifte is opgelegd, moet de heffingsrente na deze drie maanden automatisch worden stopgezet.
Een vrijwillig opgegeven schatting in een verzoek om uitstel voor het indienen van een aangifte wordt eveneens beschouwd als een verzoek een voorlopige aanslag op te leggen. U moet wel expliciet een verzoek indienen voor de vermindering van de heffingsrente; dat zal de Belastingdienst niet uit zichzelf doen.
De Belastingdienst mag evenmin heffingsrente opleggen als hij zelf zo weinig voortvarend te werk is gegaan dat hij een beginsel van behoorlijk bestuur schendt door heffingsrente te berekenen, aldus de Nationale ombudsman.

3.4e Invorderingsrente

Invorderingsrente wordt in rekening gebracht als u een aanslag niet op tijd betaalt. Deze rente gaat daags na de vervaldatum van de aanslag lopen tot de dag waarop u deze betaalt. Bedraagt een eenmalige betaling of een laatste betaling van een reeks niet meer dan €23, dan wordt dit bedrag niet in rekening gebracht.
U kunt ook invorderingsrente ontvangen, namelijk als een al door u betaalde aanslag wordt verminderd. Ook dan begint de rente daags na de vervaldatum te lopen, tot de dag van de verminderingsbeschikking.
Overigens geldt voor de invorderingsrente hetzelfde als voor de heffingsrente: deze wordt bij beschikking vastgesteld, waartegen binnen zes weken bezwaar en beroep mogelijk zijn. De berekeningswijze is hetzelfde, evenals het percentage.

3.4f Coulancerente

Een beschikking op grond van de verzilveringsregeling (tegemoetkoming specifieke zorgkosten, afgekort TSZ) wordt afgegeven nadat de aanslag over het betreffende belastingjaar definitief is geworden. Als dat langer dan zes maanden duurt, vergoedt de Belastingdienst na afloop van deze zesmaandstermijn rente die even hoog is als de heffingsrente. Dit wordt coulancerente genoemd, maar volgens de Nationale ombudsman is dit rente die wordt vergoed omdat de overheid onrechtmatig handelt.

3.5 Fiscaal advies

3.5a BelastingTelefoon

Jaarlijks beantwoordt de BelastingTelefoon (0800-0543) zo'n 14 miljoen vragen van burgers. Deze informatielijn van de Belastingdienst is de steun en toeverlaat voor een hoop mensen bij onder meer het invullen van hun aangifte. De Consumentenbond testte deze helpdesk (zie de *Geldgids* februari/maart 2011) en beoordeelde de aangeboden hulp met een 4-. Er mankeerde niets aan de vriendelijkheid van de medewerkers en ook de wachttijd viel mee (wellicht dat die in februari en maart 2011 langer was geweest; voor het onderzoek werd gebeld in november en december 2010). Maar wat een groot minpunt bleek: met de kwaliteit van de antwoorden op de vragen was veel mis. Wie vastloopt met de belastingaangifte, kan er niet op vertrouwen dat het antwoord van de BelastingTelefoonmedewerker 100% klopt.
We legden de resultaten voor aan de Belastingdienst. 'Helaas hebben we inderdaad een onjuist antwoord gegeven op een aantal vragen', reageert woordvoerder Marcel Homan. 'Dat kan natuurlijk niet. Hierop gaan we actie ondernemen. Bijvoorbeeld door de zwaardere fiscale vragen naar een groep gespecialiseerde medewerkers door te verbinden. We werken aan het specialiseren van medewerkers en het creëren van doorverbindmogelijkheden.' 'Maar', vervolgt hij, 'de BelastingTelefoon beantwoordt algemene belastingvragen. Adviezen en vragen over specifieke situaties horen thuis bij de belastingadviseur. Dat is al zo sinds de oprichting van de BelastingTelefoon', aldus Homan. Dat vindt de Consumentenbond verwarrend: geen enkele medewerker van de BelastingTelefoon verwees ons door naar een adviseur. Ook staat er op de site van de Belastingdienst geen disclaimer.

3.5b Hulp van de Consumentenbond

De Consumentenbond biedt ook dit jaar aangiftehulp. In de online-Belastingwijzer vindt u veelgestelde vragen over de aangifte met gedetailleerde antwoorden van belastingexpert Marjan Langbroek. Staat uw vraag er niet bij? Tot en met 31 maart 2012 kunt u zelf aangiftevragen stellen via de Belastingwijzer (www.consumentenbond.nl/belasting). Klik op 'Stel uw vraag' en vul het onlinevragenformulier in. U krijgt per e-mail antwoord en binnen

vijf werkdagen verschijnt uw vraag met het antwoord (geanonimiseerd) ook in de Belastingwijzer op de site. Mocht de vraag te specifiek zijn, dan nemen we contact met u op en verwijzen we u door naar een fiscalist in uw regio die u tegen gereduceerd tarief verder kan helpen.
Alleen leden van de Consumentenbond kunnen vragen stellen en beantwoorden. Wie geen onlinelidmaatschap heeft, kan zich aanmelden via www.consumentenbond.nl/geldgidsonline. U krijgt dankzij een speciale inlogcode een maand lang gratis toegang tot de Belastingwijzer en de rest van de site, zonder verdere verplichtingen.

3.5c Andere kanalen

Er zijn ook andere manieren om fiscale hulp te krijgen.

- De Belastingdienst helpt 65-plussers en mensen met een inkomen rond het minimum gratis via zijn regionale belastingkantoren. U kunt via de BelastingTelefoon een afspraak maken.
- Vakbonden FNV en CNV bieden aangiftehulp aan leden (CNV ook aan niet-leden). Dat geldt ook voor de ouderenbonden ANBO, PCOB en KBO.
- Mensen die intensief zorgen voor een naaste en lid zijn van de belangenvereniging voor mantelzorgers Mezzo kunnen terecht bij CNV.
- Via een belastingadviseur. Dit is overigens geen beschermd beroep. We raden aan iemand te kiezen die bijvoorbeeld is aangesloten bij de Nederlandse Orde van Belastingadviseurs (NOB) of het Register Belastingadviseurs (RB). De fiscus kan een belastingplichtige niet aansprakelijk stellen voor fouten van de belastingadviseur als hij niet op de hoogte was van diens fout. Eventueel verschuldigde belasting moet hij wel betalen, maar een boete niet.

Belastingrechtspraak openbaar

Staatssecretaris Weekers van Financiën is van plan een wetsvoorstel in te dienen om zittingen van belastingzaken voortaan in het openbaar te laten plaatsvinden. Dit gebeurt al in omringende landen en in ons land bij zaken op het gebied van straf-, ontslag- of algemeen bestuursrecht.
Bij aanname van het voorstel heeft de rechter, belastingplichtige of inspecteur alsnog mogelijkheden de zaak achter gesloten deuren te laten behandelen. Het voorstel biedt ook de mogelijkheid uitspraken voortaan niet meer geanonimiseerd te doen.

3.6 De praktijk

Conflicten met de Belastingdienst zijn niet zeldzaam. Burgers en de fiscus treffen elkaar zo vaak bij de rechter, dat de Raad voor Rechtspraak een aparte brochure heeft gemaakt over belastingprocedures bij de rechter (zie het kader 'Handige tips'). Er volgen acht vragen en antwoorden uit de praktijk van de Consumentenbond over wat u kunt doen als u een conflict verwacht of heeft met de Belastingdienst, (zie ook de *Geldgids* van juni 2011).

TIP

Handige tips

- Vraag in de bezwaarfase om een gesprek met de belastinginspecteur en inzage in uw dossier.
- Bij een fiscale rechtszaak is een advocaat niet verplicht. Het kan wel verstandig zijn gebruik te maken van deskundige bijstand, bijvoorbeeld via de rechtsbijstandsverzekering. Check uw rechtsbijstandspolis of fiscale zaken gedekt zijn.
- Informatie over de beroepsprocedure bij de rechtbank vindt u in de folder van de Raad voor Rechtspraak die u kunt downloaden op www.rechtspraak.nl. Klik bij 'De rechtspraak' op 'Nieuwe publicaties'.
- Het is mogelijk digitaal te procederen bij de bestuursrechter (daaronder valt de belastingrechter). U kunt via internet een beroepschrift invullen en opsturen naar de rechtbank. Het formulier vindt u op www.rechtspraak.nl.
- Als u niet tevreden bent over de wijze waarop de Belastingdienst u behandelt, kunt u een klacht indienen via www.belastingdienst.nl.

3.6a Ik heb per ongeluk verkeerd aangifte gedaan. Mag de fiscus belasting navorderen?

Dat mag alleen als er sprake is van een nieuw feit dat de inspecteur nog niet kende en redelijkerwijs niet had kunnen weten. Ter illustratie: een lid van de Consumentenbond had jarenlang ten onrechte uitgaven voor levensonderhoud afgetrokken voor haar volwassen dochter die bij haar inwoont. Zij werkt en krijgt voor een deel een Wajong-uitkering. Later komt de moeder erachter dat ze geen recht had op die aftrek. Maar over die jaren kan de inspecteur alleen belasting navorderen als er sprake is van een nieuw feit. Dat is niet het geval. De Belastingdienst heeft de beschikking over de gegevens van de dochter, want alle jaaropgaven zitten in de computer van de fiscus. Een navordering is in onze ogen niet redelijk.

3.6b Wat kan ik doen als ik het niet eens ben met de belastingaanslag?

Bel de inspecteur op, vraag om een toelichting op zijn beslissing en leg uit wat er in uw ogen mis is met de aanslag. Daardoor begrijpt u beter wat hij bedoelt, wat zijn argumenten zijn en vice versa. Het telefoonnummer van de inspecteur die de zaak behandelt, staat bovenaan op de aanslag.
Bezwaar aantekenen kan schriftelijk, binnen zes weken na de dagtekening van de aanslag. Op de aanslag staat bij welk onderdeel van de Belastingdienst u dat moet doen. Misschien heeft u nog niet alle gegevens bij elkaar om te bewijzen dat u gelijk heeft. Maak dan pro-formabezwaar binnen de genoemde zes weken en vermeld dat u het bezwaar later inhoudelijk zult aanvullen. De Belastingdienst geeft daarna een termijn waarbinnen u die gegevens moet aanleveren.
Het is mogelijk uitstel van betaling te vragen in het bezwaarschrift. Vraag hierin meteen ook een vergoeding voor eventuele onkosten die u heeft gemaakt, bijvoorbeeld omdat u een belastingadviseur in de arm heeft moeten nemen.

3.6c De fiscus komt maar niet met een reactie. Mag dat zomaar?

Dat hangt ervan af hoelang u al wacht. De Belastingdienst heeft zes weken de tijd een bezwaar te behandelen. Deze termijn kan hij met nog eens zes weken oprekken. In overleg met u kan de fiscus deze termijn nog langer maken (zie par. 3.6d). Het mag echter niet te gek worden.
Als de fiscus zich niet houdt aan de eigen of samen afgesproken deadline, kunt u hem dwingen binnen twee weken uitspraak te doen. Gebeurt dat niet, dan mag u een dwangsom eisen: €20 voor elke dag dat de Belastingdienst gedurende de eerste twee weken in gebreke blijft. Voor de twee weken daarna is de dwangsom €30 per dag. Voor de 14 dagen die daarop weer volgen, loopt het tarief op naar €40. De dwangsom loopt over maximaal 42 dagen. U kunt die aanvragen met een formulier dat u kunt downloaden via de site van de Belastingdienst (zoek op 'dwangsom').
Naast de dwangsom heeft u ook nog de mogelijkheid om naar de rechter te stappen. U stelt daar dan een beroep in wegens het 'niet tijdig beslissen'. In het belastingrecht betekent dit laatste niet per definitie dat u ook gelijk krijgt.

Houd er rekening mee dat er invorderingsrente wordt geheven over het betwiste bedrag als achteraf blijkt dat de fiscus gelijk heeft en het bezwaar onterecht is. Dat gebeurt ook over een eventuele verlengingstermijn van de bezwaarprocedure.

3.6d Mag de fiscus mij om verlenging van de beslistermijn vragen?

Meestal doet de fiscus dit omdat er een gerechtelijke procedure over een soortgelijke zaak loopt. De fiscus wil zich dan nog niet uitspreken over het bezwaar. 'Je hoeft als belastingplichtige daarmee niet akkoord te gaan', vindt belastingadviseur Jurjen van Daal. 'Afwachten van de andere zaak scheelt natuurlijk proceskosten die je zelf maakt als je ook naar de rechter zou gaan. Maar vaak blijkt dat de uitkomst van de procedure ruimte voor interpretatie geeft, waardoor je eigen zaak nog steeds niet definitief kan worden opgelost. Je moet dan alsnog zelf de procedure voortzetten en hebt dan alleen maar tijdverlies geleden.'
Belastingadviseur Janneke Jansen wijst erop dat je risico loopt als je niet instemt met verlenging. 'Het is dan zeer waarschijnlijk dat je bezwaar ongegrond wordt verklaard', zegt ze. Het Besluit fiscaal bestuursrecht bevestigt dit ook. Hierin staat letterlijk dat 'als de indiener van een bezwaarschrift niet instemt met het aanhouden van dat bezwaarschrift, de inspecteur het bezwaar afwijst'. 'Om gelijk te kunnen krijgen, zul je dan een beroepschrift moeten indienen bij de rechter. En daarmee zijn uiteraard de nodige kosten gemoeid', legt Jansen uit.
Wat u in ieder geval nooit moet doen, is het bezwaar intrekken en met de inspecteur afspreken dat hij de belastingaanslag 'ambtshalve zal verminderen' als de uitkomst van de vergelijkbare procedure daartoe aanleiding geeft. 'Zo'n uitkomst kan best nog eens voor verrassingen zorgen en dat kan een nieuwe discussie opleveren', waarschuwt Jansen. 'Als belastingplichtige heb je dan het nakijken, je hebt je bezwaar immers ingetrokken.'

3.6e De Belastingdienst wijst mijn bezwaar af. Wat nu?

U kunt via de rechter of via mediation proberen er met de Belastingdienst uit te komen. Wie kiest voor de tweede optie, moet via de BelastingTelefoon contact opnemen met de mediationcoördinator van de Belastingdienst. Deelname aan mediation is vrijwillig. U kunt dus altijd voortijdig stoppen. Het is de bedoeling dat beide partijen tot een bindende oplossing komen.

Misschien lijkt mediaton u helemaal niks of komt u er met mediation niet uit. De volgende stap is dan een beroep indienen bij de rechtbank. Een rechter kan overigens ook mediation voorstellen (zie ook het stroomdiagram). Een beroepschrift indienen bij de rechtbank moet gebeuren binnen zes weken na dagtekening van de afwijzing van het bezwaar. U kunt dit zelf doen, maar het is de vraag of dat verstandig is omdat u misschien niet over de benodigde kennis beschikt.
Als de rechter de belastingplichtige niet gelijk geeft, kan die nog naar het gerechtshof, met als eindstation de Hoge Raad. Zowel de Belastingdienst als de belastingplichtige kan kiezen voor deze route om zijn gelijk te halen. Dit traject kan jaren duren. De doorlooptijd bij de rechtbank bijvoorbeeld is al snel een jaar. Een gang naar de rechter vereist dus een lange adem en is geen garantie voor succes.

Bezwaar tegen de aanslag

Hoelang kan het duren?

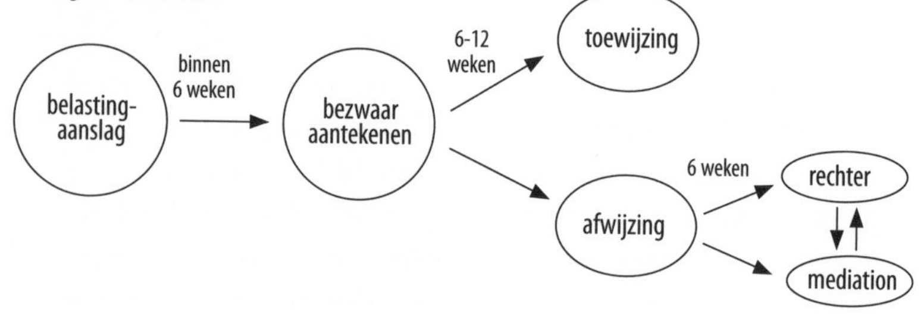

3.6f Wat kost het als ik naar de rechtbank ga?

Wie beroep instelt, betaalt griffierecht. De hoogte hiervan is afhankelijk van de beschikking waartegen en de rechtbank waarbij u in beroep gaat. Dat laatste hangt af van de provincie waar u woont. Het griffierecht bij de rechtbank is €41, bij het gerechtshof €112. Er zijn plannen om het griffierecht vanaf 2013 behoorlijk te verhogen.
Een fiscaal conflict wordt behandeld door de bestuursrechter. Als u (gedeeltelijk) gelijk krijgt, kunt u onder voorwaarden een wettelijk vastgestelde vergoeding krijgen. Kosten die u redelijkerwijs heeft moeten maken, worden vergoed. Maar de proceskostenvergoeding, als u uiteindelijk gelijk krijgt, dekt lang niet alle kosten. Houd er dus rekening mee dat een gang naar de rechter geld kost, ook al krijgt u gelijk.

3.6g Hoef ik tijdens de rechtszaak niets aan de fiscus te betalen?

Als u de procedure aanhangig maakt bij de rechter, moet u opnieuw en apart uitstel van betaling vragen bij de Belastingdienst voor de periode dat de procedure bij de rechter loopt. In de regel wordt dat verzoek ingewilligd, maar in een zeer uitzonderlijk geval (bij vrees voor verduistering) kan de fiscus hier voorwaarden aan stellen. Denk aan een bankgarantie, zodat de fiscus zeker weet dat hij het bedrag zal krijgen als de rechter u ongelijk geeft. Een verplichting tot betaling blijft bestaan als u een hogerberoepschrift indient. De werking van de uitspraak van een rechtbank wordt opgeschort totdat beide partijen niet meer in beroep kunnen gaan en de uitspraak definitief is. Er kan dus een aantal jaren over het uiteindelijke betalen heen gaan.

3.6h Kan ik een strafblad krijgen bij fraude of een boete?

Bij fraude wel, bij alleen een boete niet. Een strafblad ontstaat pas als u bent veroordeeld door de strafrechter. Dit kan bijvoorbeeld gebeuren als de belastinginspecteur naar het Openbaar Ministerie stapt vanwege zwartsparen.

Klachten handelswijze Belastingdienst

Klachten over de bejegening door de fiscus kunt u indienen bij de Nationale ombudsman (zie Adressen). Als mensen klagen over de fiscus, is dit in de meeste gevallen omdat de Belastingdienst niet of te laat reageert op hun klachten, vragen en verzoeken. Dit blijkt uit het rapport *Lessen uit de praktijk* van de Nationale ombudsman uit 2010. De op een na grootste ergernis over de fiscus is: niet teruggebeld worden terwijl dit is beloofd.

4 BELEGGEN & SPAREN

Bij beleggen en sparen is het belangrijk dat uw geld veilig is. Gelukkig zijn daar regels voor.

Nu de koersen zo slecht staan, is beleggen niet erg populair. Sparen is veiliger, maar de rente is momenteel niet om over naar huis te schrijven. Toch zijn er nog steeds heel wat Nederlanders die beleggen en/of sparen.

4.1 Beleggen

Beleggen is een vorm van sparen. U leent geld uit dat u niet nodig heeft en hoopt dat dit belegde bedrag rendement oplevert. Hoopt, want het is niet zeker of dat werkelijk gebeurt. Dat hangt af van de ontwikkelingen op de beurs (de centrale marktplaats waar vraag en aanbod elkaar ontmoeten) en van de resultaten van het bedrijf waarin u uw geld heeft gestoken. U loopt dus een risico met uw inleg. Niet voor niets wordt bij beleggingsproducten altijd de waarschuwing vermeld: 'In het verleden behaalde resultaten bieden geen garantie voor de toekomst.' Al met al is beleggen een zaak van de lange termijn en niet geschikt om uitgaven te bekostigen die op de korte termijn gerealiseerd moeten worden.
U kunt rechtstreeks beleggen bij een aanbieder van beleggingsproducten. U kunt ook beleggen via een financiële onderneming, zoals een bank. Dat laatste kunt u op verschillende manieren doen. Bijvoorbeeld door uw geld te laten beheren door een vermogensbeheerder. U maakt vooraf afspraken, bijvoorbeeld over de risico's die u wilt nemen, waarna de vermogensbeheerder kiest hoe hij uw geld belegt en u laat weten wat hij heeft gedaan. Maar u kunt ook advies aan een beleggingsadviseur vragen en daarna zelf bepalen hoe u het geld belegt. Ten derde kunt u alles zelf beslissen en de bank alleen opdrachten geven. Dit wordt *execution only* genoemd.

Beleggingsverzekeringen
Een heel eigen product is een beleggingsverzekering. Mensen sluiten zo'n verzekering af om vermogen op te bouwen. Bijvoorbeeld om een hypotheek af te lossen of voor een (aanvullend) pensioen. Het verzekeringsdeel is meestal bedoeld om het risico op overlijden af te dekken en niet om tegenvallende beleggingsresultaten op te vangen. Vermogen kunt u ook vergaren via sparen. Dat betekent minder risico, maar in principe ook minder opbrengst. Beleggingsverzekeringen zijn negatief in het nieuws gekomen. Het waren woekerpolissen: er bleken hoge kosten aan vast te zitten. Heel wat consumenten hebben op basis van een advies van een financieel adviseur zo'n woekerpolis aangeschaft.
De AFM heeft in 2008 van 36 grote financieel dienstverleners – verzekeraars, bankbemiddelaars en grote tussenpersonen – onderzocht of ze passende adviezen over beleggingsverzekeringen hebben gegeven en of er een goed klantdossier was opgesteld. Ook is gekeken of er tijdens het adviseren een goede vergelijking is gemaakt tussen verschillende financiele producten.
De conclusie van het onderzoek was dat de kwaliteit van het advies moest worden verbeterd. De AFM beoordeelde de adviespraktijk van 20% van de marktpartijen als goed, van 55% als redelijk en van 2% als matig tot slecht. De belangrijkste tekortkomingen waren gebreken in het inwinnen en vastleggen van informatie van de klant en in het vergelijken van verschillende financiële producten.
Of een beleggingsverzekering bij u past, hangt af van de vraag of u liever wilt sparen of beleggen. Vindt u beleggen riskant of wilt u geen verzekering tegen overlijden, bijvoorbeeld omdat u alleenstaand bent, dan is een beleggingsverzekering geen geschikt product voor u.

4.1a Consumentenbescherming

Beleggen is op zich al riskant genoeg. Laat staan als je met een dubieuze of niet solvabele beleggingsinstelling in zee gaat. Gelukkig word je als belegger op verschillende manieren beschermd.

Voorkennis verboden
Kennis is macht, ook bij beleggen. Om beleggers tegen dit machtsmisbruik te beschermen, bevat de Wet financieel toezicht (Wft) regels over de integere

bedrijfsvoering van instellingen die actief zijn op de financiële markten. Op grond van deze regels stelt de Wft handelen met gebruik van voorwetenschap strafbaar. Dat wil zeggen, dat iemand fout zit als hij heeft gehandeld op grond van informatie die niet openbaar is gemaakt, maar bij publicatie wel invloed zou hebben gehad op de beurskoers.
Onder deze koersgevoelige informatie wordt alle informatie verstaan die de prijs van een aandeel kan beïnvloeden. De kwartaal-, halfjaar- en jaarberichten zijn daarvan de bekendste voorbeelden, maar ook informatie over de financiering of de resultaten van een onderneming, het verliezen of verwerven van belangrijke contracten en licenties, en veranderingen in zeggenschap, organisatie of kapitaal. De directie van een beursgenoteerde onderneming beoordeelt de koersgevoeligheid van de informatie.

Beurshandel

Beleggen doen we via de beurs. Voor alle duidelijkheid: u doet geen zaken met de beurs zelf. De beurs zorgt er alleen voor dat er handel mogelijk is. Uw geld gaat evenmin naar de onderneming waarvan u aandelen koopt – tenzij het om de uitgifte van nieuwe aandelen gaat –, maar naar de verkoper, dus naar degene die de aandelen in zijn bezit heeft.
Maar wat is de beurs eigenlijk? De organisatie van deze effectenhandel berust bij Amsterdam Exchanges, een naamloze vennootschap. Medio 2000 is de beurs een fusie aangegaan met de beurzen van Brussel en Parijs. Deze 'alliantiebeurs' heet Euronext en bestaat uit drie afdelingen: Euronext Amsterdam, Euronext Parijs en Euronext Brussel. Euronext Amsterdam, kortweg 'de beurs' genoemd, maakt de handel in effecten en opties mogelijk, stelt daartoe een gebouw, het handelssysteem en de technische infrastructuur ter beschikking en regelt de administratie en afwikkeling van de effectenhandel.

Toezicht

Veel mensen beleggen via een beleggingsfonds. De fondsbeheerder daarvan heeft een grote verantwoordelijkheid. Hij belegt immers geld dat niet van hem is voor beleggers die wel de gevolgen van zijn beslissingen dragen. Enige vorm van toezicht is daarom geen overbodige luxe.
De gedragsregels waaraan een fondsbeheerder zich moet houden, zijn vastgelegd in de Wft. Het toezicht ligt bij De Nederlandsche Bank (DNB). Via DNB kunt u nagaan of u te maken heeft met een obscuur beleggingsfonds. DNB kent voor beleggingsinstellingen een vergunningenstelsel. Alleen instellingen die een vergunning hebben, mogen buiten besloten kring gelden van beleg-

gers beheren. Een besloten beleggingsclub heeft geen vergunning nodig van DNB en valt daarmee ook niet onder het toezicht van de bank. DNB houdt een register bij waarin alle beleggingsinstellingen met vergunning staan vermeld. Dit register kunt u op internet raadplegen via www.dnb.nl. Beleggingsondernemingen moeten ook een vergunning hebben van de Autoriteit Financiële Markten (AFM). De AFM verleent vergunningen aan effecteninstellingen die zich met vermogensbeheer bezighouden en kan deze vergunningen bij gebleken onregelmatigheden eventueel ook intrekken. Vertrouwt u een vermogensbeheerder niet, dan kunt u bij de AFM nagaan of hij een vergunning heeft. De AFM houdt toezicht op het gedrag van aanbieders van beleggingsobjecten. De AFM controleert of zij zich aan de wetten en regels houden. Zo ziet de AFM erop toe dat aanbieders de juiste informatie aan consumenten geven. Ondernemingen die effecten uitgeven mogen bijvoorbeeld een prospectus pas aan de consument geven, nadat hij door de AFM is goedgekeurd. Ook controleert de AFM of aanbieders hun zorgplicht nakomen: aanbieders moeten in de gaten houden of hun deelnemers goede beleggingsbeslissingen nemen. Verder houdt de AFM toezicht op de instellingen en personen die het contact tussen klant en effecteninstelling verzorgen (cliëntenremisiers). Het zijn vaak assurantietussenpersonen die deze dienst – naast het sluiten van verzekeringen – aanbieden aan hun klanten. Ze krijgen een beloning als ze een klant aanbrengen, maar ze mogen geen adviezen geven en niet namens of in opdracht van de klant handelen.
Beleggingsondernemingen kunnen onder bepaalde voorwaarden een vrijstelling krijgen voor de prospectusplicht of de vergunningsplicht. Sinds 1 januari 2012 moeten ze dit dan in al hun uitingen kenbaar maken. Consumenten kunnen overtredingen melden bij het Meldpunt Financiële Markten via info@afm.nl. Als een vrijgestelde onderneming zich schuldig maakt aan oneerlijke handelspraktijken kan de AFM optreden op grond van de Wet oneerlijke handelspraktijken (Wet OHP). Onder oneerlijke handelspraktijken vallen misleidende en agressieve verkooppraktijken. Ondernemers kunnen daarvoor een boete krijgen. Zie het kader 'Eerlijke handel' in par. 9.2d.

Beleggerscompensatiestelsel

Beleggers die geld kwijtraken als gevolg van het faillissement van een bank of commissionair kunnen een beroep doen op het beleggerscompensatiestelsel. Deze garantieregeling is van toepassing op geld dat tijdelijk bij de bank is ondergebracht, bijvoorbeeld om te worden belegd. Het gaat daarbij niet om de effecten die een belegger heeft gekocht via een bank of commissionair – die zijn en blijven het eigendom van de particuliere belegger en vallen buiten een eventueel faillissement van een effectenkantoor. Dat geldt ook voor een belegging in een beleggingsfonds. Het maximumbedrag dat onder de garantieregeling valt, is €20.000 per belegger. De regeling wordt toegepast als DNB of de AFM heeft vastgesteld dat een instelling niet meer aan zijn verplichtingen kan voldoen.

De Financiële Bijsluiter

Financiële ondernemingen moeten sinds 1 juli 2002 een Financiële Bijsluiter (FB) beschikbaar stellen als consumenten zich oriënteren op de aanschaf van een complex financieel product, zoals een beleggingsfonds of een beleggingsverzekering. U moet er wel om vragen; de aanbieder zal u er gratis een verstrekken. De bedoeling van de FB is dat door het geven van goede en begrijpelijke informatie de consument een verantwoorde beslissing kan nemen. In de FB moet altijd – steeds in dezelfde volgorde – informatie staan over het product, de risico's, de kosten, de opbrengsten en eerder stoppen. Ook staat er een risicometer in die grafisch weergeeft hoe groot het risico is dat je met een restschuld blijft zitten of je inleg kwijtraakt. Overigens zit de FB van beleggingsinstellingen iets anders in elkaar. Zo ontbreken regels voor het berekenen van de opbrengst van een beleggingsfonds. De risicometer staat er wel in.
Alle beleggingsinstellingen in Europa die in een ander Europees land mogen aanbieden, moeten als gevolg van Europese wetgeving een vereenvoudigd prospectus opstellen. In Nederland fungeert dat vereenvoudigd prospectus als FB. Vanaf 1 juli 2012 wordt het vereenvoudigd prospectus vervangen door de Essentiële Beleggersinformatie. Dit nieuwe document is korter (maximaal twee pagina's) en internationaal eenvoudiger vergelijkbaar. Hierbij hoort ook een nieuw symbool: een risicometer die uit zeven risicocategorieën bestaat. Beleggingsinstellingen mogen deze nieuwe risicoschaal sinds 1 juli 2011 gebruiken, maar vanaf 1 juli 2012 is dit verplicht.

4.1b Beleggersprofiel

Niet alleen aan beleggingsondernemingen, maar ook aan beleggende consumenten worden eisen gesteld. Iedereen die een beleggingsadviseur raadpleegt of via een verzekering wil beleggen, moet een soort proefexamen afleggen. Afhankelijk van de soort dienstverlening stelt de financiële onderneming u vragen over uw financiële situatie, uw ervaring met beleggen, de risico's die u wilt nemen en waarom u wilt beleggen. Dat levert een defensief, neutraal of offensief *beleggersprofiel* op. Daarin staat welke dienstverlening

Financiële Bijsluiter

Complexe financiële producten moeten voorzien zijn van een Financiële Bijsluiter. Complexe financiële producten zijn vaak combinaties van soorten producten, zoals een hypothecaire lening en een levensverzekering waarmee de lening kan worden afgelost. Als de waarde van zeker een van deze producten afhangt van de ontwikkelingen in de markt, is het een complex product. Dat geldt bijvoorbeeld voor een beleggingsverzekering. Hierbij betaal je premie en een gedeelte ervan wordt belegd; je verzekert en je belegt.

Daarnaast heeft de overheid bepaalde financiële producten die niet uit combinaties bestaan toch aangewezen als complexe financiële producten:

- de meeste levensverzekeringen;
- beleggingsfondsen;
- beleggingsobjecten;
- bankspaarproducten.

In de Financiële Bijsluiter moet de volgende productinformatie staan:

- wat het doel van het product is;
- hoe het product werkt;
- wat het risico is;
- of een klant het product tussentijds kan opzeggen en wat de financiële gevolgen daarvan zijn;
- wat er gebeurt als de klant overlijdt;
- wat de kosten van het product zijn;
- wat het product mogelijk opbrengt, duidelijk gemaakt met voorbeeldrendementen.

of belegging bij u past. Door het opstellen van een beleggersprofiel wijst de adviseur de klant op die risico's. De beleggingsadviseur moet namelijk het 'ken uw klant'-principe naleven. Als later blijkt dat het rendement tegenvalt, kan de bank laten zien dat de klant zelf voor het risico heeft gekozen. Bij advies en vermogensbeheer is de bank wettelijk verplicht het profiel vooraf vast te stellen. Vreemd genoeg hoeft de bank niet eens in de zoveel jaar opnieuw te bekijken of het profiel nog steeds aansluit bij de situatie van de klant. In de wet staat wel dat de consument over de ontwikkeling van zijn beleggingsportefeuille moet worden geïnformeerd via bijvoorbeeld een

e-mail of brief. Maar nergens is vastgelegd hoe vaak dit moet gebeuren. Alleen klanten die het vermogensbeheer volledig uit handen geven, moeten minstens tweemaal per jaar een beleggingsoverzicht krijgen.
Uit het volgende voorbeeld – uit de *Geldgids* van september 2010 – blijkt hoe nadelig het is als het profiel niet wordt geüpdatet. Een man van middelbare leeftijd vertelde zijn adviseur dat hij het risico liep ontslagen te worden. De klant belegde offensief en dat pakte fout uit. De man diende daarop een klacht in bij het Kifid. Hij vond namelijk dat de adviseur hem had moeten waarschuwen. De geschillencommissie stelde de bank deels aansprakelijk, omdat in het dossier van de klant staat dat zijn dienstverband onzeker was. De bank had contact met de klant moeten zoeken om te praten over de situatie en de beleggingsportefeuille.
Het opstellen van een profiel is eigenlijk eenmalig. Maar een goede adviseur zal de vinger aan de pols houden en opnieuw vragen een profiel in te vullen als iemands omstandigheden wijzigen. Banken moeten namelijk een nieuw profiel opstellen als ze hadden kunnen of moeten weten dat het bestaande profiel niet meer klopt. U bent trouwens niet verplicht een profiel in te vullen. Als u dat niet doet, kan dit betekenen dat een bank geen advies wil geven.

Zelf beleggen? Geen profiel

Als iemand zelf belegt, komt een profiel niet aan de orde omdat de bank dan in principe niet verantwoordelijk is. Maar er geldt wel een uitzondering voor beleggen in complexe producten, zoals opties en *futures*. Banken moeten bij dit soort producten testen of de klant over voldoende kennis beschikt om erin te kunnen beleggen. Als dat niet zo is, moet de bank een waarschuwing geven. De klant moet een verklaring tekenen bij de bank dat hij kennis van de producten heeft. Doet hij dit niet, dan mag hij niet in opties handelen.

Er bestaat geen standaardformulier voor het opmaken van een beleggersprofiel; iedere bank hanteert een eigen vragenlijst. De antwoorden leveren een profiel op dat de bank gebruikt om de beleggingsportefeuille samen te stellen. Omdat het aantal en soort vragen per bank varieert, kan het profiel van bank tot bank verschillen. Globaal geldt dat u bij een defensief profiel voorzichtig belegt en dus relatief weinig aandelen bezit. Bij offensief beleggen belegt u juist veel in aandelen.

Omdat banken de profielen verschillend inkleuren, heeft de AFM banken verplicht om een duidelijk verband te laten zien tussen de risico's van het beleggersprofiel en de invulling van de beleggingsportefeuille. Deze relatie is via een risicobalk te zien. Een lichte kleur betekent weinig risico, een donkere kleur wijst op een hoog risico. Dit blijft echter een indicatie, die niets zegt over wat er werkelijk kan gebeuren.

Eigen verantwoordelijkheid

U bent zelf ook verplicht veel informatie te vragen over de onderneming waar u wilt beleggen en over de manier waarop u wilt beleggen. Alleen als u genoeg informatie heeft ingewonnen, kunt u een goede keuze maken. Vergelijk altijd de verschillende manieren om te beleggen. Kijk bijvoorbeeld naar het verschil in risico en naar de kosten die u moet betalen. Er zijn websites die beleggingsfondsen en soorten beleggingen vergelijken, zoals www.geldwaardering.nl en www.morningstar.com.

TIP

Test uw kennis

Benieuwd naar uw kennis over financiële producten? Doe dan de financiële-kennistest op de site van de AFM. Via het invullen van 15 vragen over hypotheken, lenen of beleggen, komt u te weten hoe deskundig u bent.

Bescherming

Als een bank of vermogensbeheerder anders belegt dan in uw profiel staat en u hiervoor geen toestemming heeft gegeven, houdt hij zich niet aan de afspraken. Lijdt u daardoor schade, dan kunt u zich op die afspraken beroepen. Het scheelt als de beleggingsafspraken al eerder op papier zijn gezet en uw persoonlijke situatie bij de adviseur bekend is.

Een voorbeeld. Peter Wijland[1] verkoopt begin 2002 zijn bedrijf. Hij wil het vrijkomende kapitaal (€1.300.000) beleggen. Hij is voor zijn inkomen afhankelijk van dit geld. Wijland is al jaren klant bij de bank en vraagt advies. Hij vertelt zijn adviseur dat hij geen verstand heeft van beleggen en dat hij moet leven van de opbrengst van de beleggingen. Hij krijgt het advies €1.000.000 te beleggen in *reverse exchangeables* van de Commerzbank en in perpetuele

1 *Gefingeerde naam.*

leningen van ABN Amro. De eerste zijn obligaties die de Commerzbank uitgeeft. Perpetuele leningen zijn obligaties waarvan de aflossingsdatum van tevoren niet bekend is. Beide geven een hogere rente dan gewone obligaties en zijn vrij risicovol. Daarnaast krijgt Wijland het advies €300.000 in zeven verschillende soorten aandelen te beleggen.
Het advies wordt alleen mondeling gegeven en Wijland heeft veel termen die de adviseur gebruikt niet begrepen. Maar hij vertrouwt op de deskundigheid van de bank en gaat ervan uit dat de bank rekening houdt met zijn situatie. Maar op de afloopdatum van de reverse exchangeables krijgt Wijland te maken met een verlies van €100.000. Hij gaat naar het Kifid. De klachtencommissie is van oordeel dat een reverse exchangeable een risicovol product is. De bank wist dat Wijland voor zijn inkomen afhankelijk was van de opbrengst van zijn vermogen. Veel risico nemen was daarom in zijn situatie niet verstandig en paste niet in zijn profiel. De commissie veroordeelt de bank tot betaling van €100.000 aan Wijland.
Veel banken hebben in hun voorwaarden staan dat de klant er zelf voor moet zorgen dat de bank over de juiste gegevens van die persoon beschikt. Houd daarom contact met uw adviseur en geef ingrijpende wijzigingen door. Uit het voorbeeld blijkt hoe belangrijk dat is. De bank wist dat Wijland volledig afhankelijk was van zijn kapitaal. Dat had gevolgen voor zijn profiel en daardoor ook voor de manier waarop belegd moest worden. De bank heeft hier echter helemaal niets mee gedaan. Iemand in Wijlands situatie past niet in een offensief profiel met risicovolle aandelen.

4.1c De beleggingsadviseur

U kunt zelfstandig beleggen of hulp van een ander inroepen. Soms ontkomt u niet aan het laatste: zo verlopen effectentransacties op de effectenbeurzen per definitie via een effectenbemiddelaar, aangezien u als consument geen directe toegang tot de beurs heeft. Andere tussenpersonen zijn de beleggingsadviseur, de beleggingsfondsen en de cliëntenremisier. Zij brengen consumenten in contact met een effecteninstelling.
Wie voor advies naar een bank of vermogensbeheerder gaat, mag best kritisch zijn. Iemand die jaren heeft gezwoegd om een kapitaal bij elkaar te krijgen, doet zichzelf geen recht als hij naar de eerste de beste adviseur gaat en zijn vermogen zomaar uit handen geeft. Bij voorkeur heeft een beleggingsadviseur kennis van financiële planning. Ook is het goed te weten of de adviseur een registratie heeft bij het DSI (*Dutch Securities Institute*). De registratie zegt wellicht niet zoveel, maar het niet hebben zeker wel. Gebruik verder uw intuïtie.

Toont de adviseur interesse? Kan hij goed luisteren? Stelt hij open vragen? Stel ook zelf vragen. Waarom doet hij dit werk? Wat heeft hij hiervoor gedaan? Komt de adviseur met een concreet financieel plan, zoek dan uit wat de beleggingen inhouden en hoe beleggingsinstrumenten werken. Dat maakt u een betere gesprekspartner, u kunt beter inschatten of deze manier van beleggen bij u past.
Een relatie met een bankier start bij het advies en duurt dan nog jaren voort. Het is belangrijk in ieder geval eens per jaar met de adviseur om de tafel te gaan zitten. Wat u dan in ieder geval moet bespreken, zijn de *life events*: de geboorte van een (klein)kind, de aankoop van een woning, een huwelijk, een echtscheiding of overlijden. Al deze gebeurtenissen kunnen invloed hebben op uw financiële toekomst. Denk ook aan ontslag of het starten van een onderneming. Meer over financieel adviseurs leest u in hoofdstuk 9.

4.1d Klagen

Een klacht over een financieel dienstverlener moet u altijd eerst voorleggen aan de dienstverlener zelf. Pas als u er samen niet uitkomt, kunt u de rechter of het Kifid inschakelen. De klachtenprocedure is te vinden op www.kifid.nl. Neem voor een klacht over een beleggingsfonds of de beurs contact op met de AFM.

Einde distributievergoeding en retourprovisie

Als het aan minister van Financiën Jan Kees de Jager ligt, mogen banken en vermogensbeheerders binnenkort geen distributievergoeding meer hanteren voor het verkopen van beleggingsfondsen. Dit is een vergoeding die fondsen aan banken betalen voor een actieve promotie van hun fonds. Bankadviseurs nemen het fonds dan op in hun adviezen aan klanten. De minister wil dat financieel adviseurs van banken het belang van de klant vooropstellen. Voor hen is het nu verleidelijk de klant het bestbetalende in plaats van het bestpresterende fonds te adviseren. De Jager probeert het distributieverbod voor beleggingsfondsen in Europees verband te regelen. Als dat niet lukt, komt hij met een Nederlandse wet. De AFM wil ook af van de retourprovisie die vermogensbeheerders van depotbanken krijgen op de transacties die ze voor particuliere beleggers doen. Dankzij deze provisie hebben de beheerders er baat bij meer transacties te doen dan nodig is voor de klant. De AFM hoopt dat de distributievergoeding en de retourprovisie uiterlijk in 2013 zijn verdwenen.

TIP

Tips voor verstandig beleggen

- De eigen bank is een voor de hand liggende keus voor een beginner die rechtstreeks wil gaan beleggen.
- Het is aan te raden bij een opdracht altijd een limiet te stellen.
- De *Sharpe*-ratio over een periode van de laatste vijf jaar (of liever nog: acht jaar) is naar onze mening het best in staat een afgewogen en betrouwbaar beeld van een fonds te geven. Daarnaast is het verstandig rendement en risico afzonderlijk te bekijken.
- Op www.fundix.nl vindt u veel nieuws en achtergrondinformatie over beleggingsfondsen en over de stemming van de beurs. Handig is de vergelijking van de fondsen op basis van rendement en risico.
- Check prospectussen en jaarverslagen, zeker als u wilt weten waarin wordt belegd.
- Wed met uw beleggingen niet op één paard.
- Beleggen betekent risico's nemen. Die zijn eigenlijk alleen verantwoord als u uw geld een langere tijd kunt wegzetten. Zo is het beleggingsrisico bij aandelen het eerste jaar heel groot. Het risico neemt af naarmate je het geld langer kunt wegzetten. Wees dus altijd bewust van het risico dat de zoektocht naar extra rendement kan opleveren. Kijk niet alleen naar het voorgespiegelde rendement, maar ook naar het risico dat eraan vastzit.

4.2 Sparen

Sparen kan op verschillende manieren en bij verschillende financiële instellingen. U kunt uw geld op een betaal- of spaarrekening zetten, in een deposito storten of in een spaarverzekering stoppen. U kunt dus terecht bij banken, maar ook bij verzekeraars. Als u uw spaargeld kwijt zou raken, is dat een ramp. Gelukkig wordt dat risico ondervangen door de Wft (die de Wet toezicht kredietwezen heeft vervangen) en het depositogarantiestelsel.

4.2a Wft

Banken die aan particulieren of ondernemers spaarproducten aanbieden, staan in Nederland onder toezicht van DNB. Zo moeten zij altijd zodanig aan hun verplichtingen kunnen voldoen dat bij een eventueel faillissement

andere banken niet worden meegesleurd. Dit toezicht is geregeld in de Wft. DNB houdt een register bij van instellingen die een vergunning hebben gekregen. Heeft een bank eenmaal in Nederland een vergunning gekregen, dan mag zij die ook elders in Europa gebruiken. Onder Europa verstaan we dan de 27 lidstaten van de Europese Unie, Noorwegen, IJsland en Liechtenstein. Andersom geldt het ook: een bank uit een van deze landen mag ook in Nederland zakendoen. De buitenlandse banken staan dan onder toezicht van DNB.
Zowel banken als verzekeraars vallen op basis van de Wft ook onder het toezicht van de AFM. De AFM houdt op verschillende manieren gedragstoezicht op financiële ondernemingen die spaarproducten aanbieden. Zo is voor het verkopen van financiële producten vaak een vergunning van de AFM nodig. Verder controleert de AFM of de aanbieders consumenten goed informeren. Zo niet, dan kan de AFM ingrijpen en indien nodig straffen.

4.2b Het depositogarantiestelsel

Het depositogarantiestelsel garandeert dat u bij faillissement van een Nederlandse bank uw spaargeld tot €100.000 terugkrijgt, ongeacht het aantal rekeningen dat de rekeninghouder heeft. Het maximum geldt echter wel voor alle saldi samen. Stel, een rekeninghouder heeft twee rekeningen met saldi van €50.000 en €70.000, samen is dit €120.000. Deze rekeninghouder krijgt dus €100.000 vergoed. Bij een en/of-rekening van twee personen geldt dit maximum per persoon. Het depositogarantiestelsel wordt uitgevoerd door DNB. Dus als het saldo van een en/of-rekening €200.000 bedraagt, kunnen beide rekeninghouders in beginsel aanspraak maken op ieder €100.000. DNB is verantwoordelijk voor de uitvoering van het depositogarantiestelsel. Voor uitgebreide informatie kunt u terecht op de website van deze instantie, bij 'Vragen over banken' en op de site van de Consumentenbond (in het dossier 'Budgetteren'). Vragen over de garantieregeling kunt u stellen aan de Informatiedesk van DNB, via e-mail (info@dnb.nl) en telefonisch op werkdagen van 09.00-17.00 uur (0800 – 020 1068; gratis).

Voorwaarden
Rekeninghouders kunnen hun tegoeden dus tot een maximum van €100.000 vergoed krijgen, maar er gelden wel bepaalde voorwaarden:

- u bent een rekeninghouder die gedekt wordt door het depositogarantiestelsel (dat geldt voor particulieren of kleine ondernemingen; dat geldt niet voor bestuurders van een bank met betalingsproblemen, mensen die

een belang hebben van 5% of meer in die bank en de directe familie van de hier genoemde personen, financiële ondernemingen en overheden);
- uw bank valt onder het depositogarantiestelsel (check het Wft-register);
- het product valt onder het depositogarantiestelsel (dat geldt voor vrijwel alle betaal- en spaarrekeningen, lopende rekeningen en termijndeposito's; aandelen en obligaties vallen er niet doorgaans niet onder).

Buitenlandse bank

Banken die gevestigd zijn in andere landen van de Europese Unie, Noorwegen, IJsland of Liechtenstein en die een bijkantoor hebben in Nederland, vallen onder het depositogarantiestelsel van hun thuisstaat en dus niet onder het Nederlandse depositogarantiestelsel. Ook hiervoor kunt u het Wft-register raadplegen:

1. ga naar www.dnb.nl;
2. rechtsonder aan de pagina staat de kolom 'snel op weg';
3. klik op 'registers';
4. klik daarna op 'raadplegen register';
5. en klik vervolgens op 'krediet instellingen';
6. voer uw zoekopdracht (de naam van de bank) in.

Uw bank is gedekt door een buitenlands depositogarantiestelsel als de linkerkolom een van de twee volgende punten vermeldt:

- bijkantoor van een bank uit EER (2:14);
- verrichten van diensten bank uit EER (2:18).

TIP

Derdenrekening

Mogelijk heeft u een tegoed op een derdenrekening. Dit is een rekening die een rekeninghouder aanhoudt voor u en een of meer andere personen, de derde(n). Voorbeelden zijn een rekening van een vereniging van eigenaren (VvE), een rekening van een firma (VoF) of maatschap, een inzakerekening of een kwaliteitsrekening van een notaris bij de aan- of verkoop van onroerend goed. Ook het saldo op een derdenrekening komt onder omstandigheden in aanmerking voor een vergoeding onder het depositogarantiestelsel.

4.2c Klachten

U krijgt uw rente niet op tijd bijgeschreven, u moet een boeterente betalen terwijl u dat niet verwachtte enzovoort. Dit zijn vervelende zaken waarover u in eerste instantie contact met de bank moet opnemen. Als u er niet snel uitkomt (een simpele fout kan binnen een paar dagen hersteld zijn), dien dan een formele klacht in bij de bank. Doe dit altijd schriftelijk. Komt u er tijdens de klachtenprocedure nog niet uit, ga dan naar het Kifid.

5 HUIS & HYPOTHEEK

In dit hoofdstuk krijgt u informatie over uw rechten bij de koop en de financiering van een huis.

Een eigen huis is voor veel mensen de belangrijkste investering van hun leven. Daarom is het erg belangrijk te weten wat uw rechten zijn bij de koop en de hypotheekovereenkomst. Ook gaan we in op de invloed die overheidsbeslissingen op de waarde van uw huis kunnen hebben.

5.1 De koop

Na lang zoeken is het gelukt: u heeft het huis van uw dromen gevonden. Maar na verloop van tijd ontdekt u een slecht gerepareerde lekkage, komt u erachter dat het huis op gifgrond staat of blijkt dat uw makelaar bouwkundige gebreken over het hoofd heeft gezien. Dat soort haken en ogen zitten helaas soms aan het kopen van een huis (meer informatie vindt u in de *Geldgids* van oktober/november 2010).

5.1a Vervuilde grond

'We hoorden het pas toen we bij de notaris zaten voor de overdracht. De notaris vertelde meteen dat het te laat was om er iets aan te doen.' Tim Overdijk[2] en Iris Maas[3] kochten in 2010 een benedenwoning die op gifgrond bleek te staan. 'De verkopers wisten zelf niet dat ze op vervuilde grond woonden, ze hoorden het bij de notaris ook voor het eerst', vertelt de Utrechtenaar. 'Tijdens de bezichtiging en de taxatie is vervuilde grond niet aan de orde geweest. Onze notaris heeft in verband met de overdracht informatie opgevraagd bij het Kadaster. Daaruit bleek dat de bodem van ons huizenblok ernstig verontreinigd is, maar geen bedreiging vormt voor de volksgezondheid. Als de grond toch gesaneerd moet worden, is dat op kosten van de gemeente.'

---

2 *Gefingeerde naam.*

3 *Gefingeerde naam.*

Toen Overdijk en Maas dit hoorden, vroegen ze de notaris wat hun opties waren. 'Volgens hem waren deze gegevens openbaar en hadden we hier zelf ook achter kunnen komen als we informatie hadden opgevraagd bij het Kadaster. Hij zei dat we bij een eventuele rechtszaak daarom weinig kans maakten. We hebben het om die reden maar geaccepteerd.' Overdijk baalt vooral omdat hij niet weet of die gifgrond invloed heeft op de waarde van het huis. 'Misschien hebben wij nu te veel betaald. En als we het willen verkopen, zullen wij het wel moeten melden. Het voelt niet eerlijk.'
'Een verkoper moet melden wat hij weet over eventuele verontreinigingen', zegt Roeland Kimman, woordvoerder van makelaarsvereniging NVM. 'Als de verkoper hiermee niet bekend is, kan de koper zelf opdracht geven voor een bodemonderzoek.' Mocht blijken dat de grond vervuild is, maar dat in het huis normaal gewoond kan worden, dan ligt dat risico volgens Kimman bij de koper. Als normale bewoning niet mogelijk is en de verkoper heeft dit bewust verzwegen, is deze volgens de wet aansprakelijk. In dit geval hebben Overdijk en Maas dus pech, want de verkopers wisten het niet.
Toch is het maar de vraag of de notaris gelijk heeft wat een rechtszaak betreft. Het is namelijk raar dat de taxateur de vervuilde grond heeft gemist. In een taxatierapport staan standaard twee bepalingen over vervuiling die moeten worden uitgezocht. Overdijk en Maas kunnen een andere taxateur inschakelen om na te gaan of de vervuilde grond nog invloed heeft op de waarde van het huis. Als dat zo is, heeft de eerste taxateur fouten gemaakt en kunnen ze een klacht indienen bij hem en bij de desbetreffende branchevereniging. Als ze eventuele schade willen verhalen, zullen ze naar de rechter moeten. Het stel heeft vooralsnog besloten geen tweede taxatie te laten uitvoeren.

5.1b Kijk uit voor clausules

Wees alert op een aantal bepalingen in het koopcontract. Vooral de onderstaande clausules beperken uw mogelijkheden de verkoper achteraf aansprakelijk te stellen voor later aan het licht gekomen gebreken.

- Artikel 5 in het koopcontract: dat bevat een opgave van de bij de verkoper bekende eigenschappen van de woning (zoals erfdienstbaarheden, aanwezigheid van een olietank of asbest). Die moet de verkoper allemaal melden. Laat vastleggen wie verantwoordelijk is voor een eventuele verwijdering van een olietank of asbest.
- Asbestclausule: als er een kans op asbest in de woning bestaat, wordt vaak een asbestclausule opgenomen in het koopcontract. In die clausule staat dat de koper de verkoper vrijwaart van aansprakelijkheid als er as-

best wordt gevonden. Deze clausule is dus in het nadeel van de koper. Onderhandel hierover, of laat een expert bekijken of er asbest aanwezig is voordat u akkoord gaat.

- Ouderdoms- en/of funderingsclausule: deze houdt in dat de verkoper de aansprakelijkheid voor eventuele gebreken aan de woning of fundering uitsluit of beperkt in verband met de leeftijd van de woning. Net als de asbestclausule is deze clausule niet gunstig voor de koper en is het dus zinvol hierover te onderhandelen.
- Niet-bewoond- en/of voormalig huurwoningclausule: als die clausule wordt gebruikt, moet u extra letten op mogelijke gebreken. De verkoper kan hiermee namelijk verklaren dat hij niet wist dat bijvoorbeeld de cv of de oven niet werkte, omdat hij het huis uit een erfenis heeft ontvangen of verhuurde en daardoor zelf niet op de hoogte was van gebreken. Ook hier geldt: accepteer deze clausule niet zomaar, maar onderhandel.
- Garantiebepaling: zorg voor een garantiebepaling in het koopcontract. Dan is de verkoper aansprakelijk voor alle verborgen gebreken die het normale gebruik van het woonhuis in de weg staan. Heeft u deze garantiebepaling niet opgenomen, dan kunt u terugvallen op de wet: de conformiteitsgarantie van artikel 7:17 Burgerlijk Wetboek.

5.1c Informeer tijdig

Een notaris doet voorafgaand aan een overdracht van een huis altijd onderzoek naar de woning en de verkopers. Hij checkt bijvoorbeeld of het huis een monument of een beschermd stads- of dorpsgezicht is. Hij gaat na of er sprake is van erfpacht of een andere erfdienstbaarheid en of de verkopers gemachtigd zijn het huis te verkopen. Is er bijvoorbeeld sprake van een echtscheiding of een sterfgeval en moet een partner of erfgenaam meetekenen? Het is erg jammer dat de notaris van Maas en Overdijk niet de moeite heeft genomen het stel eerder op de hoogte te brengen van zijn ontdekkingen. Wie onaangename verrassingen wil voorkomen, kan het best ruim voor de overdracht contact opnemen met de notaris om na te gaan of er nog bijzonderheden zijn over het huis of de eigenaren. Stel dan concrete vragen over bijvoorbeeld erfpacht, monumentenstatus, vervuilde grond, de oude transportakten en de situatie van de verkopers.

5.1d Verkoperspraat

In het geval van Maas en Overdijk zeiden de verkopers niets over de gifgrond omdat ze er immers geen weet van hadden. Maar het kan ook gebeu-

ren dat een verkoper je wel informatie geeft, maar dat die niet juist is. 'Toen we ons huis bezichtigden, zagen we een vrij grote plek op de wand tussen de badkamer en de gang', vertelt Raoul Teeuwen. 'Volgens de verkoper was daar ooit lekkage geweest, maar was dit probleem inmiddels verholpen.'
Circa een jaar na de koop merkt het gezin Teeuwen nieuwe vochtplekken op en laten tegels in de badkamer los. Ze laten het onderzoeken door een badkamerspecialist, die concludeert dat de hele gipsbetonblokken muur aangetast is door vocht. Een dusdanig groot probleem dat ze besluiten er een nieuwe badkamer in te laten zetten. 'De badkamerverkoper vertelde ons dat hij enkele maanden eerder ook al in het huis was geweest. Hij had de toenmalige eigenaar geadviseerd hoe het lek te repareren. Maar die had ervoor gekozen het "optisch" op te lossen. Op het oog leek het goed', zegt Teeuwen.
Teeuwen stelt een verklaring op met het verhaal van de badkamerspecialist, maar die durft de verklaring niet te ondertekenen. 'De voormalige eigenaar wilde voor zijn nieuwe huis ook zaken met hem doen en hij wilde die business niet verliezen. Daarmee was onze bewijsmogelijkheid verkeken', aldus Teeuwen.
'We hebben de voormalige eigenaar benaderd, maar die zei dat onze kinderen wellicht in de douchebak hadden staan springen, en dat dit de lekkage had veroorzaakt. We voelden ons opgelicht, maar konden het niet hard maken. Een volgende keer vertrouw ik de verkoper niet meer op zijn blauwe ogen en laat ik er meteen een specialist bij komen.'
Het is een lastige zaak. De lekkage veroorzaakte bij Teeuwen pas na een jaar overlast en de badkamerspecialist wilde de verklaring niet ondertekenen. Daarnaast is het aan Teeuwen om aan te tonen dat de verkoper wist dat de lekkage niet goed gerepareerd was. Teeuwen heeft niet meer geprobeerd verhaal te halen.

5.1e Mededelingsplicht

Bij het bezichtigen van een huis heeft de verkoper een mededelingsplicht, maar de koper heeft zelf ook een (minder ver strekkende) plicht onderzoek te doen naar het huis. Stel altijd vragen over mogelijke gebreken die je ziet. Zichtbare gebreken hoeft een verkoper namelijk niet actief aan een koper te melden vanwege diens onderzoeksplicht. Vraag bij twijfel een deskundige om advies voordat de overdracht plaatsvindt en leg gebreken vast. Spreek schriftelijk af wie aansprakelijk is als reparaties nodig blijken te zijn. Maak in het verlengde daarvan afspraken op papier over apparaten die niet kunnen worden getest tijdens de bezichtiging (de afwasmachine of de cv bijvoorbeeld).

5.1f Garantie

Er bestaat wettelijk een garantie na de koop, waarbij de verkoper na de overdracht aansprakelijk kan worden gesteld voor gebreken. Het kan in de praktijk, net als bij Raoul Teeuwen, lastig zijn daarop terug te vallen omdat het gebrek aantoonbaar aanwezig moet zijn geweest voor de overdracht. Bovendien gaat de garantie pas tellen als 'normaal' gebruik van de woning niet mogelijk is, zonder 'normaal' te definiëren. Daarover is dus discussie mogelijk. Stel dat u in het voorjaar een nieuw huis koopt. Bij het verbouwen van de zolder blijkt dat er asbest is verwerkt in het zeil op de vloer. De verkopers hebben u daarover niets verteld. Het zeil laten verwijderen kost ongeveer €2000. Of u die kosten kunt verhalen, hangt af van de hoogte van de concentratie asbest. De rechter heeft bepaald dat bij het overschrijden van een bepaalde norm 'normaal' gebruik van de woning niet mogelijk is. In dat geval is de verkoper aansprakelijk voor de kosten, ook als hij niet wist dat er asbest in het zeil zat.
Als u bewust verkeerd bent voorgelicht, heeft u een sterke zaak als de foute informatie op papier staat. Bijvoorbeeld: de verkoper heeft u verteld dat de verwarmingsketel van 2005 is. Dit feit vindt u ook terug in de brochure. Wanneer een monteur langskomt voor de jaarlijkse controle, blijkt dat de ketel ouder is, van 2002. De verkoper had u de juiste informatie moeten geven. De schade (de verminderde levensduur van de ketel) is dan te verhalen op de verkoper. De verwarmingsman kan advies geven over de hoogte hiervan. Breng de verkoper schriftelijk op de hoogte en geef een termijn waarbinnen deze moet betalen.

TIP

Bedenktijd

Bij de koop van een huis heeft u drie dagen bedenktijd. Deze bedenktijd gaat in op de eerstvolgende dag nadat u het koopcontract heeft ontvangen dat door u en de verkoper is ondertekend. Binnen deze bedenktijd kunt u van de aankoop van het huis afzien zonder opgave van redenen. U bent ook geen vergoeding aan de verkoper verschuldigd.

5.1g Makelaar in de fout

Wie begeleiding wil bij de aankoop van een huis, neemt een makelaar in de arm. Maar niet alle makelaars zijn even deskundig. U kunt ook met de makelaar problemen krijgen. Hierover leest u meer in par. 9.5.

Huiswerk voor de koper

Vragen staat vrij

- Welk onderhoudswerk is er (bijvoorbeeld de laatste vijf jaar) aan de woning verricht?
- Zijn er nota's van de uitgevoerde werkzaamheden (in verband met eventuele garantie)?
- Waren er vergunningen nodig voor de werkzaamheden aan de woning?
- Zijn die verstrekt en kan de verkoper dat aantonen?
- Is er geluidsoverlast van buren en/of andere plekken in de buurt?
- Welke werkzaamheden zou de verkoper eerst aanpakken als hij hier zou blijven wonen? Zo komt u erachter waar onderhoud nodig is.

Informatie verzamelen

- Taxatie of bouwkundige keuring laten uitvoeren.
- Gemeente vragen om het bestemmingsplan. Veel gemeenten maken die tegenwoordig bekend via hun sites.
- Kadaster vragen om gegevens rondom bodemverontreiniging en de koopprijs van woningen uit de buurt.
- Notaris voor de overdracht bellen om onvoorziene tegenvallers te voorkomen.

Het contract

Neem deze ontbindende voorwaarden in ieder geval op:

- Als de bouwkundige keuring nadelig uitvalt en het blijkt dat er voor een bepaald bedrag aan herstel of achterstallig onderhoud moet worden geïnvesteerd.
- Als de financiering niet rondkomt. Leg vast hoeveel tijd en welk bedrag u nodig heeft.
- Als uw eigen woning niet verkocht is voor een bepaalde datum.

5.2 De hypotheek

De volledige naam van een hypotheek is eigenlijk 'hypothecaire lening'. De hypotheeknemer, vaak een bank, leent u een bepaald bedrag voor het kopen van een huis. Voor de zekerheid wordt daarbij uw huis als onderpand

genomen. Als u niet aan de verplichtingen voldoet, kan de geldgever uw huis in de verkoop doen.
U, als hypotheekgever, betaalt hiervoor maandelijks (of soms per kwartaal) rente en lost – afhankelijk van de hypotheekvorm – wel of niet een bepaald bedrag af. Pas als de hypotheek helemaal is afbetaald, is het huis echt van u.
U kunt een hypotheek rechtstreeks bij de geldgever (bijvoorbeeld de bank of de verzekeraar) afsluiten, maar ook via een tussenpersoon. Er zijn ook enkele aanbieders die hun hypotheken uitsluitend via internet aanbieden.

5.2a Rechtstreeks of via een tussenpersoon?

De keus van een hypotheek is niet simpel. Veel huizenkopers nemen daarom een adviseur in de arm. Hypotheekbemiddelaars adviseren de consument op basis van zijn wensen en financiële mogelijkheden. Ze helpen bij het kiezen van een hypotheekproduct, zowel wat betreft de geldverstrekking als bij de aan de lening te koppelen verzekering. Zij brengen het contact tussen aanbieder en consument tot stand en nemen dikwijls een deel van de administratieve afhandeling voor hun rekening.
Deze bemiddelaars ontvangen doorgaans voor hun bemiddeling van de geldgevers een aanzienlijke commissie (provisie). Ze brengen u verder geen kosten in rekening. U betaalt die provisie natuurlijk wel indirect omdat die verwerkt is in de afsluitprovisie en de rente. Er is niets op tegen om op deze manier uw hypotheek af te sluiten. Maar houd er wel rekening mee dat vanwege de provisiestructuur uw belangen en die van de hypotheekadviseur niet per definitie parallel lopen (zie par. 5.2b).
Met wie en met hoeveel geldgevers een tussenpersoon samenwerkt, verschilt van kantoor tot kantoor. Hypotheekadviseurs werken doorgaans met meer geldgevers samen dan bijvoorbeeld een makelaar. Een erkende hypotheekadviseur staat geregistreerd bij de Stichting Erkend Hypotheekadviseur en beschikt over de vereiste diploma's en praktijkervaring. Hij houdt zich aan de regels van de gedragscode, waaronder de geheimhouding van uw gegevens. Zie www.erkendhypotheekadviseur.nl.
Een stapje verder gaat de Erkend Hypothecair Planner. Hij geeft naast hypotheekadvies een op uw situatie toegesneden prognose van uw financiële situatie op de langere termijn. Dit kwaliteitslabel wordt bewaakt door de NVHP. Meer informatie vindt u op www.hypothecairplanner.nl.
Doorgaans kunt u een hypotheek ook afsluiten via de makelaar die uw huis verkoopt of met wiens bemiddeling u de nieuwe woning aanschaft. Hij is dan uw tussenpersoon. Ook hij krijgt hiervoor een riante provisie. Nu is

het natuurlijk mogelijk dat uw makelaar geen zaken doet met goedkope geldgevers. U moet dan de korting op de courtage vergelijken met de lagere hypotheekrente die u eventueel elders kunt bedingen.

Toezicht
De Autoriteit Financiële Markten (AFM) heeft tot taak het gedragstoezicht op financiële markten uit te oefenen. Hypotheekbemiddelaars vallen onder dat toezicht. De AFM controleert of de hoogte en de vorm van de hypotheek wel bij de consument past. Is het inkomen bijvoorbeeld hoog genoeg om de maandlasten te kunnen betalen? Heeft de adviseur passend advies gegeven? Voor de meeste hypotheken, zoals een beleggings- of een spaarhypotheek, is een Financiële Bijsluiter verplicht (zie par. 4.1a). De AFM controleert of de informatie hierin juist is.

TIP

Meer informatie over hypotheken
De Financiële Routeplanner Hypotheken op de site van de AFM kan u helpen een goede hypotheekbeslissing te nemen. Ook op de site van de Consumentenbond (www.consumentenbond.nl/hypotheken) vindt u veel nuttige informatie, zoals gegevens over wat er komt kijken bij het afsluiten van een hypotheek en een hypotheekvergelijker.

5.2b Beloning tussenpersoon

Vanaf 1 januari 2013 mag een tussenpersoon helemaal niet meer op provisiebasis werken. Nu al doet meer dan de helft dat niet meer. U spreekt een vast bedrag af met de tussenpersoon of u betaalt hem een bedrag per gewerkt uur. Sommigen bieden de keus tussen provisie en een factuur, maar dat blijkt voor veel klanten een heel moeilijke. De *Geldgids* van september/oktober 2011 geeft hiervoor de volgende tips.

Arbeidsongeschiktheid en werkloosheid
Ook voor hypotheken geldt dat het afsluiten van een verzekering tegen het risico van arbeidsongeschiktheid en werkloosheid heel aantrekkelijk is voor de tussenpersoon. Hij ontvangt hiervoor een fikse provisie. Laat u niet al te gemakkelijk overhalen om zo'n verzekering af te sluiten. Ze is gewoon te duur.

TIP

Provisie verboden!

Met ingang van 2013 mogen tussenpersonen geen provisie meer ontvangen bij het afsluiten van een hypotheek of ander ingewikkeld product.

TIP

Kijk op provisietransparantie.nl

Wie meer houvast wil om te bepalen of zijn tussenpersoon duur of goedkoop is, kan op www.provisietransparantie.nl kijken. U geeft hier eerst de hypotheekvorm en de hoogte van het bedrag aan. Vervolgens krijgt u een overzicht van adviseurs in de omgeving met de provisie die zij ontvangen van de geldverstrekkers en het deel dat u eventueel terugkrijgt.
De gegevens op de site zijn wel meer dan een jaar oud. Dat maakt ze minder betrouwbaar. Een ander minpunt is dat er slechts zo'n honderd tussenpersonen meedoen. Toch geeft de website een aardige indruk van de provisie die tussenpersonen ontvangen.

Let op het uurtarief

Hypotheekadviseurs zijn gewend aan provisie-inkomsten en weten dus precies hoeveel ze moeten vragen. Ze gebruiken daarvoor een rekensommetje. De tussenpersoon deelt simpelweg de gemiddelde inkomsten door het gemiddeld aantal bestede uren. Zo komt hij uit op het uurtarief. Vaak is dat €150 tot €175. U kunt zich afvragen of de expertise van een hypotheekadviseur – opgedaan tijdens een opleiding van 3 tot 12 maanden – wel zo veel waard is. Bovendien wordt een deel van het werk dikwijls gedaan door een administratieve kracht.

Kijk uit voor 'opknippers'

Sommige adviseurs maken een onderscheid tussen hypotheekadvies en -bemiddeling, waarvoor ze apart een rekening indienen. Bemiddeling betekent meestal niet meer dan het onderbrengen van de hypotheek bij de bank, plus de administratieve afwikkeling. Ook hier geldt: vraag een duidelijke offerte en laat de adviseur toelichten wat hij precies voor welk bedrag doet.

Uurtarief bij hoge hypotheek

Bij het provisiesysteem krijgt de hypotheekadviseur van de geldverstrekker een percentage van de hypotheeksom uitgekeerd. Hoe hoger de hypotheeksom, des te meer de adviseur verdient. Over het algemeen kost een grote hypotheek echter niet veel meer werk dan een kleine. In dit geval pakt het waarschijnlijk voordeliger uit als u voor een uurtarief kiest.

Alert bij dubbele beloning
Adviseurs werken soms voor een combinatie van provisie en uurtarief. Ze ontvangen zowel provisie van de hypotheekbank als een *fee* van de klant. Dit is geen goed idee, want je moet betalen voor het advies en loopt ook nog eens het risico dat dit in het voordeel van de adviseur uitpakt. Ook de AFM vindt een dubbele beloning niet wenselijk. Vraag in zo'n geval altijd na wat voor provisie de adviseur van de bank ontvangt en hoe deze wordt vastgesteld.

TIP

Vraag een offerte
Vraag de hypotheekadviseur een offerte waarin hij een schatting geeft van het aantal uren dat hij en een eventuele administratieve kracht kwijt zijn aan uw hypotheek. Is het meer dan 15 uur, vraag de adviseur dan waarom hij zoveel tijd nodig denkt te hebben.

Let op de btw
Sommige adviseurs rekenen btw over hun diensten, maar dat is bij een hypotheekadvies niet nodig. Gaat het om een financieel plan of een second opinion, dan moet de tussenpersoon wel btw berekenen. Dit verhoogt de rekening met 19%.

Provisietransparantie
Sinds 2009 geldt, onder meer bij hypotheken, een provisietransparantie: een tussenpersoon moet u als klant laten weten hoeveel provisie hij exact ontvangt. Hij is verplicht u aan het begin van het traject een dienstverleningsdocument te overhandigen, met een schatting van de kosten voor de dienstverlening en/of de provisie die hij ontvangt van de hypotheekbank.

Overweeg een financieel plan
Het afsluiten van een hypotheek is een beslissing die u voor de lange termijn neemt. Het is bij uitstek het moment om de totale financiële situatie onder de loep te laten nemen, rekening houdend met uw toekomst. Wilt u bijvoorbeeld eerder stoppen met werken, dan kan dat van invloed zijn

op de hypotheekbeslissing die u nu neemt. U kunt hiervoor eventueel een Erkend Hypothecair Planner in de arm nemen; zie par. 5.2a.

Zogenaamd onafhankelijk

Niet elke adviseur die zich onafhankelijk noemt, is dat ook echt. Zo noemen sommige verzekerings- of hypotheekadviseurs zich al onafhankelijk als ze zaken doen met meerdere aanbieders en dus niet gebonden zijn aan één partij. De term 'onafhankelijk' is niet beschermd. Het blijft dus oppassen. Neemt een adviseur provisie aan van aanbieders, dan kan hij al bijna niet onafhankelijk opereren. De verleiding is dan groot zaken te doen met de geldverstrekker die de meeste provisie biedt of een hypotheekconstructie te adviseren die het meest oplevert. Een echt onafhankelijke adviseur laat zich maar door één partij betalen en dat bent u.

Hypotheekadvies laat nog steeds te wensen over

De kwaliteit van het hypotheekadvies is zichtbaar verbeterd, maar de aard en omvang ervan zijn een stimulans voor verdere noodzakelijke verbetering. Dat is de belangrijkste conclusie uit het marktbrede onderzoek in 2010 van de AFM onder 21 financiële ondernemingen die over hypotheken adviseren. Er werden 214 adviezen beoordeeld. Daaruit bleek dat er minder vaak te hoge hypotheken worden aanbevolen, dat oversluitadviezen vaker passen bij de klant en dat de vermogensopbouw voor de aflossing van de hypotheek beter wordt afgestemd op de risicobereidheid van de klant.
Maar de AFM ziet ruimte voor verbetering. Te veel adviezen zijn nog steeds niet passend.

TIP

Goed advies?

Consumenten kunnen zelf controleren of ze een volledig advies hebben gekregen. Via de onlinevragenlijst 'Checklist hypotheekgesprek' op de site van de AFM krijgt u een overzicht van alle belangrijke onderdelen van een goed advies. De vragenlijst kan ook handig zijn voordat u naar een adviseur gaat, ter voorbereiding op het gesprek. Stel u kritisch op en bereid u voor, adviseert de AFM. Vraag door als zaken niet duidelijk zijn en teken niets voordat u de essentie van het financiële product heeft begrepen.

Vraag een prijsopgave
De rekening kan fors tegenvallen. Vraag daarom altijd een duidelijke prijsopgave na afloop van het eerste adviesgesprek of probeer een vaste vergoeding af te spreken. Dring erop aan dat de adviseur u tijdig informeert als de kosten boven een bepaald bedrag dreigen te komen.

5.2c Gedragscode hypothecaire financieringen

Sinds 1 augustus 2011 geldt de nieuwe Gedragscode hypothecaire financieringen, opgesteld door de NVB. De gedragscode geldt voor iedere hypothecaire financiering die door een hypothecair financier als standaardproduct aan consumenten in het openbaar wordt aangeboden en/of verstrekt. In de code staan onder meer regels voor de voorlichting aan de hypotheeknemer, het maximale leenbedrag en het indienen van een klacht.

Voorlichting
De hypothecair financier moet de klant helder en duidelijk informeren over ten minste de volgende zaken:

- de globale financiële consequenties en kosten van het kopen van een eigen woning en van een hypothecaire financiering;
- de globale fiscale gevolgen van het kopen van een eigen woning en het verkrijgen van een hypothecaire financiering;
- de belangrijkste overheidsregelingen op het gebied van het verwerven van een eigen woning;
- door de hypothecair financier aangeboden financieringsvormen met een beknopte uitleg over onder meer de verschillende aflossingsvormen, de verschillen tussen hypotheken met een vaste en een variabele rente en de gevolgen daarvan voor de klant;
- de soorten rente: vast, variabel of een combinatie van beide;
- hoe actuele informatie is te krijgen over nominale en effectieve rentepercentages;
- effectieve rentepercentages als nominale rentepercentages zijn vermeld;
- de kosten die de hypothecair financier in rekening brengt of kan brengen bij het verstrekken van de hypothecaire financiering;
- hoe de algemene voorwaarden van de hypothecaire financiering verkrijgbaar zijn;
- bijkomende verplichtingen die aan een hypothecaire financiering zijn verbonden;

- de standaardverstrekkingsnormen met en zonder Nationale Hypotheek Garantie (NHG) in relatie tot de waarde van de woning;
- de tijdstippen waarop rente en/of aflossingen betaald moeten worden;
- de mogelijkheden tot extra of vervroegde algehele vergoedingsvrije aflossing, inclusief een eventuele vergoedingsregeling;
- de wijze waarop de voorlichtingsbrochure verkrijgbaar is;
- de mogelijkheid voor de hypothecair financier om de hypothecaire financiering bij het Bureau Krediet Registratie (BKR) aan te melden;
- de verplichting voor de hypothecair financier om eventuele betalingsachterstanden bij het BKR te melden;
- de eventuele verplichting om de woning te laten taxeren en, indien van toepassing, door wie deze taxatie uitgevoerd moet worden;
- naam en adres van de hypothecair financier en, indien van toepassing, naam en adres van de hypotheekbemiddelaar;
- dat hij de Gedragscode onderschrijft en bij welke vestiging van de hypothecair financier de Gedragscode verkrijgbaar is.

Voorlichting beleggingshypotheken
De gedragscode bepaalt verder dat de hypothecair financier de consument een helder inzicht zal geven in de waardeontwikkeling van beleggingsverzekeringen die onderdeel zijn van een verstrekte hypothecaire financiering. Hiertoe zal hij de consument jaarlijks een overzicht geven van de daadwerkelijke waarde van deze beleggingsverzekeringen. Daarbij worden op basis van de actuele waarde twee voorbeeldkapitalen gegeven op de beoogde einddatum van de belegging. Deze voorbeeldkapitalen worden vergeleken met het door de klant beoogde eindkapitaal.
Deze verplichtingen gelden niet voor beleggingsverzekeringen met een gegarandeerd eindkapitaal. Dit artikel geldt alleen voor hypothecaire financieringen die zijn verstrekt na 1 januari 2008.

Hypotheeklastenberekening
De hypothecair financier of de hypotheekbemiddelaar zal de klant een hypotheeklastenberekening verstrekken. Als de bemiddelaar dat niet doet, zal de hypothecair financier op verzoek van de consument hiervoor zorgen.
De hypotheeklastenberekening bevat ten minste de volgende elementen:
- te betalen rente;
- te betalen aflossing;
- premie te verpanden levensverzekering;

- eigenwoningforfait;
- erfpachtcanon;
- verplichte stortingen ten behoeve van te verpanden beleggingen.

Leencapaciteit

De hypothecair financier hoort bij iedere aanvraag van een consument te kijken of de hypotheeklasten niet te hoog zijn voor diens inkomen en de waarde van de woning. Hij stelt het maximale bedrag van de brutolasten van een hypothecaire financiering vast op basis van actuele woonlastpercentages, vastgesteld door het Nationaal Instituut voor Budgetvoorlichting (NIBUD; onder andere te vinden op www.nvb.nl/dossiers/hypotheken). Als de hypothecaire financiering bedoeld is voor meer mensen, zal het woonlastpercentage worden gebaseerd op de consument met de hoogste inkomsten. Bij het bepalen van de leencapaciteit zal de hypothecair financier rekening houden met de huidige vaste inkomsten. Gaat het om een hypotheek voor meer mensen, dan mag hij bij het bepalen van de leencapaciteit rekening houden met hun gezamenlijke inkomsten.
De hypothecair financier berekent de leencapaciteit voor een hypothecaire financiering met een rentevastperiode van korter dan tien jaar op basis van een percentage dat door het Contactorgaan Hypothecair Financiers is vastgesteld. Dat percentage is gebaseerd op de marktrente over leningen aan de Nederlandse staat met een resterende looptijd van tien jaar, te verhogen met een door het Contactorgaan Hypothecair Financiers vast te stellen opslag. De hypothecair financier mag bij het berekenen van de leencapaciteit van de consument ook een hoger toetsrentepercentage hanteren.
Bij de bepaling van de leencapaciteit wordt – ongeacht de aflossingsvorm of de rentevastperiode van de hypothecaire financiering – uitgegaan van ten minste de lasten van een 30-jarige annuïtaire lening.

Beperkingen

Om te voorkomen dat consumenten een hypotheek afsluiten die ze niet kunnen afbetalen, mag een hypothecaire financiering niet meer dan 104% van de marktwaarde van de woning bedragen, vermeerderd met de verschuldigde overdrachtsbelasting. Consumenten kunnen dus maximaal 106% van de waarde van een bestaande woning lenen. Ook mag het aflossingsvrije gedeelte hoogstens 50% van de marktwaarde van de woning zijn. Bovendien komen er minder uitzonderingen op de bestaande inkomensnorm. Dit alles beperkt het risico op een te hoge restschuld bij de consument.

De nieuwe gedragscode geldt alleen voor nieuw af te sluiten hypothecaire kredieten. Op een verhoging van het hypotheekbedrag zijn de nieuwe regels wel van toepassing. Overigens blijft maatwerk mogelijk. Voor consumenten waarbij de hypotheek voldoet aan de huidige voorwaarden van NHG kan tot maximaal 108% van de waarde van de woning worden verstrekt.

Klachten
Als een hypothecair financier een of meer bepalingen van deze gedragscode niet naleeft, kunt u een klacht indienen volgens het reglement van de Geschillencommissie Hypothecaire Financieringen.

5.2d Problemen met de bank

Ondanks de gedragscode waaraan banken zich moeten houden, kunt u als hypotheekgever allerlei problemen hebben met de bank die uw hypotheek verstrekt. Over de hypotheekrente bijvoorbeeld, of als u bij de bank weg wilt. In de *Geldgids* van februari/maart 2011 en november 2011 heeft de Consumentenbond hieraan aandacht besteed.

Te hoge hypotheekrente
Arnold de Bok[4] gaat in 2007 bij de Rabobank langs voor een aanvullend krediet. De Bok is op dat moment al drie jaar met pensioen en heeft een jaarinkomen van €43.000. Hij heeft een hypotheek die vier keer zo hoog is als zijn jaarsalaris, maar de Rabobank vindt het geen probleem de kredietruimte te vergroten met nog eens €134.000. De Bok krijgt direct €32.000 nieuw krediet mee.
Drie jaar later is de schuld van De Bok opgelopen tot 6,5 keer zijn jaarlijks inkomen. Nu concludeert de bankadviseur ineens dat De Bok meer krediet heeft opgenomen dan volgens de normen van de Rabobank is toegestaan. Hij kan zijn woning beter verkopen en een ander huis gaan huren. Inmiddels dreigt de Rabobank zijn woning te verkopen.
Banken zijn door de kredietcrisis meer op risico's gaan letten. Banken berekenen het risico van de kredietcrisis soms rechtstreeks door aan hun klanten, merkte Hans van Veen. Zijn rentevaste periode liep in 2005 af bij Van Lanschot. Hij sloot een nieuw contract af waarbij de rente zou variëren van 2,75% tot 4,75%, afhankelijk van de marktrente en de rente van de Europese Centrale Bank (ECB).
In 2005 leverde hem dat een rente van 3,75% op, maar in de loop van 2006

4 *Gefingeerde naam.*

steeg deze al snel naar het (verzekerd) maximum van 4,75%. Eind 2008 gingen de renten van de geldmarkt en de ECB sterk omlaag. Conform de opslagen die Van Lanschot eerder rekende, had de rente in de eerste helft van 2009 naar 2,75% kunnen dalen. Van Lanschot trok zich echter niets aan van de lage marktrenten. 'De situatie op de financiële markten heeft geleid tot hogere liquiditeit- en kredietrisico-opslagen. Daarom hebben wij de berekeningsgrondslagen aangepast', liet Van Lanschot weten. Er was bovendien 'geen sprake van een vaste koppeling met de ECB-rente'.
Van Veen diende hierop een klacht in bij de ombudsman van het Kifid wegens eenzijdige contractaanpassing en schending van informatie- en zorgplicht. Hij schat zijn schade op bijna €9000.
Banken rekenen sinds het begin van de kredietcrisis in 2008 structureel te veel hypotheekrente. Ze vragen circa 1% meer dan voor de crisis gebruikelijk was op grond van de geld- en kapitaalmarktrente, zo blijkt uit berekeningen die de Consumentenbond in september 2010 naar de minister van Financiën stuurde. Ook bleek dat bij het verlengen van de hypotheekrente het nieuwe tarief ineens een stuk hoger kan zijn. Dat is niet alleen een gevolg van een ongunstige marktrente, maar soms ook van het feit dat het actietarief, waarmee de klant is binnengelokt, niet meer geldt. Vaak zijn andere kortingen – bijvoorbeeld voor het afsluiten van een betalingsbeschermer – ook eenmalig.
Dit wil overigens niet zeggen dat de klant het nieuwe rentetarief blindelings hoeft te aanvaarden. In de praktijk valt er vaak te onderhandelen met de bank, vooral voor interessante klanten. Met iemand die een effectenportefeuille bij de bank heeft en/of een hoge hypotheek heeft, zal de bank eerder genegen zijn te praten dan met iemand die deze niet heeft.

Behoorlijke veiligheidsmarge. Vraag de bank naar de opslag die u bij de hypotheekrente betaalt voor het liquidatierisico. Dit is het risico dat de bank loopt in het geval een klant onverhoeds de rente niet meer kan betalen en de woning via een veiling te weinig opbrengt om de hypotheek volledig af te kunnen lossen. Banken rekenen een opslag op de rente als de hypotheek meer bedraagt dan circa 75% van de executiewaarde (EW). Deze waarde is doorgaans 85% van de vrijeverkoopwaarde van de woning.
De EW is het bedrag dat de bank denkt te ontvangen als hij het huis gedwongen via een veiling moet verkopen. Met de grens van 75% van de executiewaarde hebben de banken dus een behoorlijke veiligheidsmarge ingebouwd.
De opslag wordt overigens niet alleen gerekend over het gedeelte boven de 75%, maar over de hele hypotheek.

Veel consumenten hebben een hypotheek die hoger ligt dan 75% van de EW. De opslag verschilt per geldgever. Voor een maximumhypotheek van 125% van de EW loopt de opslag uiteen van 0,1% tot 0,5% (het gemiddelde is 0,32%). Ook het aantal risicoklassen verschilt per bank. Hoe hoger de risicoklasse waarin de hypotheek valt, des te hoger de rente.

Lagere opslag. Als de hypotheek lang geleden is afgesloten, kan een flink deel van de rente geschrapt worden. Met uitzondering van enkele hypotheekverstrekkers kunnen consumenten bij alle aanbieders vragen de rente naar beneden aan te passen als de hypotheek inmiddels in een lagere risicoklasse valt. Het hangt van de aanbieder af of deze aanpassing tussentijds (als de rentevaste periode nog loopt) of op de datum van de renteherziening gedaan kan worden. Sommige geldgevers rekenen kosten voor de aanpassing. Vrijwel altijd moet de klant zelf het initiatief nemen. Hij dient de nieuwe waarde van de woning aan te tonen. Vaak kan dat met een WOZ-beschikking. In sommige gevallen eist de geldgever een taxatie, wat soms honderden euro's kost. Ondanks die kosten kan een taxatie toch voordeliger uitpakken dan een WOZ-beschikking. Er zijn namelijk aanbieders waar je bij een taxatie in een lagere risicoklasse kunt uitkomen dan bij een WOZ-beschikking. Stel dat het renteverschil 0,1% blijkt te zijn. Bij een hypotheek van €250.000 scheelt dat €250 per jaar. Dan haal je de kosten van de taxatie er snel uit. Een aantal geldgevers kan maatregelen nemen als de hypotheek door de prijsdaling boven de maximumgrens van 125% van de EW komt. Volgens de voorwaarden kan de bank dan gaan eisen dat de klant extra moet aflossen of voor aanvullende zekerheden moet zorgen. Tegenover de Consumentenbond verklaren zij echter dat zulke maatregelen in de praktijk niet voorkomen, behalve als er sprake is van fraude.

Hypotheek aflossen. U komt niet zonder slag of stoot van uw bank af. Als klanten de hypotheek voortijdig willen aflossen terwijl de rentevaste periode nog loopt, rekenen alle banken een boeterente. Die boeterenten zijn na 1997 flink gestegen. U betaalt alleen geen boete als de dagrente hoger is dan de contractrente, maar dat komt in de praktijk niet zo vaak voor. De nieuwe geldgever moet al veel goedkoper zijn, wil oversluiten na het verrekenen van de boete nog voordeel opleveren.

Nauwelijks bedenktijd. Zo traag als banken zijn bij het verwerken van een administratieve handeling, zo snel zijn ze als de rente opnieuw vastgezet moet worden. De meeste banken geven hun klant slechts een maand de tijd om te bepalen of de aangeboden rente hen bevalt. In de praktijk is dat nauwelijks voldoende om bij andere aanbieders een offerte aan te vragen. De enige manier om dan de overstap naar een andere bank te regelen, is bij de oude geldgever te kiezen voor een variabele rente. Dat is niet overal mogelijk. Als de klant dan later toch kiest voor een vaste rente, moet hij bij een deel van de geldgevers extra betalen. Je reinste geldklopperij, want het is een opslag voor de flexibiliteit die je van een hypotheek zou mogen verwachten.

Overige voorwaarden. Wie extra geld nodig heeft voor bijvoorbeeld een verbouwing, hoeft niet naar de notaris als de hypotheek voor een hoger bedrag is ingeschreven in het Kadaster. Zonder verhoogde inschrijving is een bezoek aan de notaris wel vereist. In het laatste geval valt het te overwegen voor de tweede hypotheek naar een andere bank te stappen.
Voorbeeld: de eerste hypotheek is €250.000 en de tweede €25.000. Ook de eerste hypotheek kan hierdoor in een hogere risicoklasse vallen. Als dit leidt tot een renteopslag van 0,2%, kost dat bij een looptijd van tien jaar €5000 bruto. Ander voorbeeld: de eerste hypotheek is €100.000 en de tweede €125.000. Beide hypotheken vallen nu in een hogere risicoklasse. Deze 0,2% extra rente kost bij een looptijd van tien jaar €2000 bruto rente over de oude lening. In het eerste geval valt het te overwegen de tweede hypotheek bij een andere geldgever af te sluiten, ondanks de extra kosten die dat met zich meebrengt. Je betaalt dan immers geen extra rente over de eerste hypotheek. Jammer genoeg zijn slechts weinig aanbieders bereid een tweede hypotheek af te sluiten als de eerste hypotheek bij een andere geldgever loopt. Een alternatief is het geld voor de tweede hypotheek te lenen bij familie of vrienden. Een hypotheek heeft in principe een looptijd van 30 jaar. Klanten lossen spaar- en beleggingshypotheken aan het einde van de looptijd af. Het is echter ook mogelijk dat zij (een deel van) de hypotheek niet aflossen. De meeste geldgevers zijn dan bereid de hypotheek te verlengen, al berekenen ze daarvoor soms wel extra kosten die kunnen oplopen tot €250.

Weg bij hypotheekverstrekker?

Er zijn redenen genoeg om na verloop van tijd wijzigingen aan te willen brengen in een hypotheek: u merkt bijvoorbeeld dat de hypotheekrente is gedaald en wilt de hypotheek naar die lagere rente overzetten, u bent ontevreden over het nieuwe renteaanbod van uw bank en wilt naar een andere geldverstrekker, u wilt de hypotheek aflossen omdat dit een betere beste-

ding is voor uw spaargeld dan de niet-inflatiebestendige spaarrekening of u heeft een andere koopwoning of wilt gaan huren.
Maar bij de afrekening presenteert de bank een hoge factuur aan klanten die weg willen. De rente die u tot aan het einde van de rentevaste periode verschuldigd was, moet u alsnog betalen. Wel verrekent de bank een kleine korting voor het vrij aflosbare deel (vaak 10% van de hypotheeksom) en voor het feit dat de rente eerder wordt betaald – het is namelijk gunstiger voor de bank het geld nu te ontvangen dan in termijnen tot aan het einde van de rentevaste periode. Het feit dat de bank het teruggegeven bedrag opnieuw beschikbaar heeft om uit te lenen aan een ander, wordt meestal niet beloond.
De banken berekenen de boete niet allemaal op dezelfde manier. Ook zijn de boeteregelingen in de loop van de jaren niet gelijk gebleven. De laatste jaren zijn de voorwaarden behoorlijk uitgekleed. Voor wie zijn hypotheek tussentijds niet heeft aangepast, gelden de voorwaarden die zijn overeengekomen bij het afsluiten van de lening. De klant kan hiermee zijn voordeel doen want een oude, gunstige regeling kan duizenden euro's opleveren. Let dus goed op dat de geldgever de voorwaarden hanteert die tijdens het afsluiten van de lening zijn vastgesteld.

5.3 In de clinch met de overheid

Als huiseigenaar heeft u niet alleen te maken met de koop en de hypotheek, maar soms ook met overheidsbeslissingen die invloed kunnen hebben op de waarde van uw huis en uw woongenot. Denk bijvoorbeeld aan de aanleg van snelwegen, spoorbogen, windmolens, CO_2-opslag en gsm-masten. De overheid heeft de taak een zorgvuldige belangenafweging te maken alvorens een bestemmingsplan aan te passen.
Desondanks kan het gebeuren dat u schade ondervindt bij de uitvoering van dit soort overheidsplannen (planschade). De meeste planschadezaken zijn het gevolg van een wijziging van een gemeentelijk bestemmingsplan, maar ook acties van het Rijk of de provincie kunnen de burger dwarszitten. Het is niet vanzelfsprekend dat u alle gevolgen moet dragen van voor u nadelige wijzigingen in het bestemmingsplan. Een mooie zin uit de wet is dat moet worden vastgesteld dat 'de schade redelijkerwijs niet voor uw rekening hoeft te komen'.
In de *Geldgids* van oktober/november 2010 is uitgelegd hoe u kunt vaststel-

en of er sprake is van planschade en hoe u die vervolgens kunt claimen. Niet elk financieel nadeel valt daaronder, maar wellicht is er in dat geval nog recht op nadeelcompensatie.

5.3a Spelregels

Stel: voordat u uw huis kocht, heeft u netjes het geldende bestemmingsplan bestudeerd en heeft u uitgesloten dat er wijzigingen zaten aan te komen. Ineens wordt het plan ingrijpend gewijzigd door de gemeente. Zoek dan uit of u planschade heeft geleden. De gemeente laat daarvoor een onafhankelijke deskundige de oude situatie met de nieuwe vergelijken. Hij beoordeelt of u materieel slechter af bent door de geplande wijzigingen.
U kunt directe of indirecte planschade hebben. Indirecte planschade is bijvoorbeeld het verdwenen weidse uitzicht door de geluidswal van de snelweg. Er is sprake van directe planschade als het nieuwe plan u beperkt in de gebruiksmogelijkheden van uw eigen perceel, bijvoorbeeld een verbod om te mogen bouwen.
De waardedaling van uw woning of inkomen moet groter zijn dan 2% om in aanmerking te komen voor vergoeding. Dat percentage is aangewezen als normaal maatschappelijk risico dat iedereen kan lopen en zelf moet dragen. Verder mag u geen andere vorm van compensatie hebben ontvangen. Ook als u aan de totstandkoming van de wijziging heeft meegewerkt door bijvoorbeeld grond te verkopen voor het project, kan het aldus verkregen voordeel met de planschade worden verrekend.
Bijvoorbeeld: uw huis heeft een waarde van €400.000. De aanleg van een nieuwe woonwijk in uw achtertuin levert volgens de onafhankelijke adviseur een waardevermindering op van €15.000. Dan wordt dit bedrag gesaldeerd met het 'eigen risico' van 2%. Dit is €8000 (2% van €400.000). De tegemoetkoming is dus maximaal €7000.
Pas als het projectbesluit of het nieuwe bestemmingsplan definitief vaststaat en er geen beroep meer mogelijk is, kan de planschade worden geclaimd. U vraagt de tegemoetkoming aan bij de gemeente. De indientermijn is vijf jaar, gerekend vanaf het moment dat de oorzaak van de schade onherroepelijk is geworden.

5.3b Schade voorkomen

Voorkomen is beter dan genezen. Maak gebruik van uw inspraakrecht om mogelijke schade af te wenden of te minimaliseren.

Een paar tips om erger te voorkomen:

- Verken het speelveld. Welke personen of organen zijn bij de besluitvorming betrokken?
- Als er sprake is van een aangevraagd besluit, is het handig na te gaan wie de aanvrager is.
- Hoe eerder u uw stem laat horen, des te groter is de kans dat er naar u wordt geluisterd.
- Bezoek informatieavonden. Soms moet u hier spreektijd aanvragen.
- Eendracht maakt macht: bundel krachten met 'lotgenoten'. Meer stemmen is meer aandacht en bovendien kunnen de juridische kosten worden gedeeld.
- Schakel tijdig een deskundige in. Als er sprake is van grote (financiële) belangen, kunt u zelfs professionele rechtshulp overwegen.

5.3c Drempels

Sinds 2008 zijn er wat 'overgangsdrempels' opgeworpen, die per 1 september 2010 definitief zijn geworden. De 2%-ondergrens is er een van. Ook moet je tegenwoordig zelf, eventueel met hulp van een deskundige, een berekening van de schade maken en daarbij een motivering geven. Verder moeten gemeenten kosten berekenen voor de procedure. Die zijn standaard €300, maar kunnen variëren tussen de €100 en €500. Dit bedrag krijgt u terug als de claim wordt gehonoreerd. De gemeente legt de claim voor aan een onafhankelijke commissie, die doorgaans bestaat uit een jurist en een of twee taxateurs.

Hoewel gemeenten uiteraard niet staan te springen om planschadeclaims te moeten afhandelen, wordt het over het algemeen wel beschouwd als *part of the game* en worden procedures meestal routinematig en zakelijk afgehandeld. Steeds meer gemeenten geven transparante informatie over het traject. Maar juich nu niet te vroeg, want procedures kunnen jaren in beslag nemen als het op bezwaar maken uitdraait en er ook nog hoger beroep moet worden aangetekend. Bovendien kan een projectontwikkelaar of een andere partij die de schade (gedeeltelijk) zou moeten vergoeden in beroep gaan tegen de hoogte ervan.

5.3d Nadeelcompensatie

Ook als volgens de spelregels geen sprake is van planschade, kunnen burgers en bedrijven nadeel ondervinden van een bestuursmaatregel. Bijvoorbeeld als je bedrijf slechter bereikbaar is door wegwerkzaamheden en, ondanks je

inspanningen om het effect te minimaliseren, omzetverlies ontstaat. In dit soort gevallen kan nadeelcompensatie worden uitgekeerd.
Nadeelcompensatie is niet expliciet in de wet geregeld, maar is gebaseerd op het evenredigheidsbeginsel van de Algemene wet bestuursrecht. Hierin ligt vast dat een burger of bedrijf geen onevenredig grote schade mag lijden als gevolg van een overheidsbesluit waarvan de samenleving voordeel heeft. Onder andere Rijkswaterstaat en de Nederlandse Spoorwegen hebben eigen compensatieregelingen.

5.3e Specialisten

Het staat iedereen vrij op eigen houtje of met andere belanghebbenden een claim in te dienen, maar zeker als de belangen groot zijn, kan deskundige hulp van meerwaarde zijn. Diverse adviesbureaus in het hele land leveren expertise op het gebied van planschade. Het is geen aparte categorie in het telefoonboek, maar ze zitten vaak in de hoek van vastgoed, onroerend goed en rentmeesterschap.
De Nederlandse Vereniging van Rentmeesters, Stichting VastgoedCert en Stichting Landelijk Register van Gerechtelijk Deskundigen kunnen u op weg helpen (zie Adressen). Ook zoeken op internet met het trefwoord 'planschade(deskundige)' levert links naar deskundigen op.
De ideale adviseur is een onafhankelijk jurist in bestuursrecht die zowel burgers als gemeenten heeft bijgestaan in de tegemoetkomingsprocedure. In theorie is het mogelijk dat een adviseur voor hetzelfde project aan beide partijen bijstand verleent, maar in de praktijk komt dit niet voor. Zowel klanten als gemeenten zullen liever niet in zee gaan met zo'n bedenkelijk figuur. Een goede adviseur is tevens een behendig taxateur, bij voorkeur gecertificeerd. Verder is het goed te vragen hoe recent de beoogde deskundige procedures heeft gevoerd. Actuele kennis is zeker sinds de veranderingen van 2008 essentieel.

Specialisten onder de loep

De Consumentenbond heeft een tiental specialisten onderzocht (zie de *Geldgids* van oktober/november 2010). Hun werd een vragenlijst voorgelegd over ervaring, werkwijze, tarieven en voorwaarden. Ook werd informatie op diverse websites vergeleken. De kwaliteit van de beschikbare informatie verschilde behoorlijk en niet iedereen stond te trappelen om mee te werken. Toch ontstond een redelijk duidelijk beeld van wat de deskundigen kunnen bieden.

De meesten leveren verschillende diensten: een oriënterend gesprek, het beoordelen van kansen, het conceptadvies van onafhankelijke deskundigen of een afwijzing van de claim en de mogelijkheden van beroep daarop. Doorgaans kunnen deze diensten los worden ingehuurd. Reken hierbij op uurtarieven van €100 tot €200.
Een complete procedure van een doorsneezaak neemt ongeveer twee werkdagen in beslag. Daarnaast zijn er bureaus die na een al dan niet betaald intakegesprek het hele proces voor u kunnen voeren op *no-cure-no-pay*-basis of op een combinatie van uurtarief en no cure no pay. Daarbij spreekt u van tevoren een percentage of fee af, te betalen bij een geslaagde procedure. Voor een belang van €10.000 moet u denken aan zo'n 20%. Voor grotere en kleinere belangen lopen de door ons gevonden tarieven zeer uiteen. Eén advies van een geraadpleegde specialist willen wij u niet onthouden: 'Ga bij het inhuren van een deskundige voor het laagste tarief, het is vooral de gemeentelijke commissie die het werk doet.'
De kosten voor het inhuren van specialistische hulp komen voor vergoeding in aanmerking 'indien zij redelijk zijn'. Wat daaronder precies moet worden verstaan, is nog niet echt duidelijk. Inmiddels zijn er wel gevallen bekend waarin een gemeente, die in haar procedureverordening extra eisen stelde aan (een deel van) de aanvraag, de kosten van de deskundigen moest vergoeden.

TIP

woz-bezwaar vaak zinvol

Van degenen die een bezwaarschrift indienen tegen de woz-beschikking van hun woning krijgt ongeveer 40% gelijk. In de *Belastinggids 2012* leest u hoe u het best te werk kunt gaan. Of kijk in het dossier *Uw recht* op onze website (www.consumentenbond.nl/juridisch-advies) bij de veelgestelde vragen over wonen.
Op www.bezwarenmeter.nl is te zien hoe het staat met de bezwaarschriften van ongeveer eenderde van de Nederlandse gemeenten.

6 LENEN

Zeker bij het lenen van geld is het nuttig als u weet wat uw rechten en plichten zijn.

Een kredietverstrekker mag alleen geld uitlenen als hij een vergunning heeft. U kunt op de website van de Autoriteit Financiële Markten (AFM) nagaan of een aanbieder van een lening een vergunning heeft. Ten tweede moeten kredietverstrekkers voorkomen dat u meer geld leent dan u kunt terugbetalen. Daarom zijn ze verplicht om u informatie te geven over de voorwaarden van lenen.
U kunt geld lenen bij banken, maar ook bij andere kredietverstrekkers. Die werken vaak met tussenpersonen. Als u bijvoorbeeld een auto koopt met een autokrediet, fungeert de autoverkoper als tussenpersoon.
Een bemiddelaar helpt u bij het vinden van gunstige tarieven en voorwaarden voor geldleningen bij de verschillende aanbieders. In tegenstelling tot de assurantie- en hypotheekkantoren communiceren kredietbemiddelaars vaak schriftelijk.
Een adviseur mag geen kosten in rekening brengen voor een advies over een consumptieve lening (een doorlopend krediet of een persoonlijke lening). In plaats daarvan ontvangt de adviseur een vergoeding van de kredietverstrekker. Het is trouwens niet verplicht om u te laten adviseren over leningen.
Bijna alle leningen in Nederland staan geregistreerd bij het Bureau Krediet Registratie in Tiel (BKR). Wilt u een nieuwe lening afsluiten, dan controleert de aanbieder wat u al aan leningen heeft uitstaan en of u ooit achterstand in betalingen heeft gehad. Tot de instellingen die gegevens checken bij het BKR horen niet alleen banken, maar ook postorderbedrijven, creditcardmaatschappijen en leasemaatschappijen. Al deze organisaties verlenen een vorm van krediet. Zij zijn deelnemers van het BKR. Overigens kunt u ook zelf bij het BKR informatie opvragen over uw eigen financiële situatie.

TIP

Leentips

'Geld lenen kost geld', luidt de slogan die u ervan moet weerhouden schulden op te bouwen. Wilt u toch een krediet nemen, bekijk dan eerst kritisch hoeveel u maandelijks kunt missen om de rente en de aflossing te betalen. Vraag minimaal twee offertes aan bij verschillende aanbieders. Leg ze naast elkaar en let op de looptijd, de effectieve rente, de hoogte van de aflossing en de bijkomende kosten. Houd ook de geldigheidsduur van de offerte in de gaten. Teken nooit een offerte op het moment dat u haar krijgt voorgelegd. Controleer op de website van de AFM of de aanbieder een vergunning heeft.

TIP

Stappenplan

Op de site van de Consumentenbond in het dossier 'Lenen' vindt u veel informatie over lenen, onder andere een stappenplan voor de zaken waaraan u moet denken als u een lening wilt afsluiten.

6.1 Wetten en regels

Bij een lening (een kredietovereenkomst) spelen diverse wetten een rol.

6.1a Richtlijn Consumentenkrediet

In 2008 is de Europese Richtlijn Consumentenkrediet aangenomen en deze is op 1 juni 2011 geïmplementeerd in de Wet op het financieel toezicht (Wft). Deze richtlijn probeert de nationale wetgeving van de lidstaten te harmoniseren. Lidstaten hebben in principe geen vrijheid om van de richtlijn af te wijken, op sommige punten na. Zo gelden nu in de hele Europese Unie dezelfde regels voor kredietverstrekkers en consumenten. Een tweede doel is het beschermen van de consument bij het afsluiten van kredietovereenkomsten.
De bepalingen van de richtlijn zijn niet van toepassing op kredietovereenkomsten die voor de inwerkingtreding van de richtlijn zijn afgesloten. Tenzij deze worden gewijzigd, bijvoorbeeld door de kredietlimiet op te schroeven, want dan valt de overeenkomst wel onder de nieuwe wetgeving.

De belangrijkste bepalingen zijn:

- Kredietovereenkomsten met een looptijd van minder dan drie maanden vallen in beginsel nu ook onder de regelgeving. Dit betekent dat aanbieders van flitskredieten (relatief kleine leningen met een relatief korte looptijd) nu ook aan de regels moeten voldoen. Zo moeten zij nu ook een vergunning hebben.
- U kunt een kredietovereenkomst binnen 14 dagen nadat deze is afgesloten kosteloos en zonder opgaaf van redenen beëindigen.
- Als u schade lijdt doordat de kredietverstrekker u te laat heeft geïnformeerd, kunt u die schade verhalen op de kredietverlener.
- Kredietgevers moeten voor het afsluiten van de lening voldoende informatie geven, zodat de consument het krediet goed kan beoordelen. Hierbij moet de kredietgever rekening houden met de door de consument verstrekte informatie.
- In Nederland hoort bij reclame voor kredieten op grond van de Wet financieel toezicht (Wft) altijd een waarschuwingssymbool te staan en de zin 'Let op! Geld lenen kost geld'. Reclame-uitingen voor consumptieve kredieten moeten bepaalde standaardinformatie bevatten, in de vorm van een tabel. Daarnaast is het niet meer toegestaan om met een actietarief te adverteren; in de tabel moet altijd het hogere standaardtarief staan.
- In kredietovereenkomsten, de verplichte informatie vooraf en in reclame moet het jaarlijkse kostenpercentage (JKP) staan. Dit bestaat uit de totale kosten van het krediet voor de consument, uitgedrukt in een percentage op jaarbasis van het totale kredietbedrag. Zo kan de consument verschillende kredietaanbiedingen makkelijker met elkaar vergelijken.
- In de richtlijn staat expliciet dat kredietaanbieders ook bij een belangrijke verhoging van de kredietlimiet informatie over de financiële positie van de consument horen in te winnen. Ze horen na te gaan of deze belangrijke verhoging verantwoord is, om overkreditering van de consument te voorkomen.
- De rechten voor de lenende consument zijn uitgebreid. De consument kan nu een kredietovereenkomst met onbepaalde looptijd altijd kosteloos beëindigen. Ook mag je het krediet geheel of gedeeltelijk vervroegd aflossen. De financiële instelling kan eisen dat je dit tegelijkertijd met een termijnbetaling doet en het bedrag afrondt op een veelvoud van de termijnbetaling. Ook kan het zijn dat je hiervoor een vergoeding moet betalen. Bij vervroegde aflossing heeft de consument recht op verlaging van de totale kredietkosten.

De regels van de richtlijn gelden onder meer niet voor hypothecair krediet of ander krediet dat wordt afgesloten voor het kopen van onroerend goed, voor huur- of verhuurovereenkomsten waarbij geen aankoopverplichting van het verhuurde geldt en voor geoorloofd roodstaan dat binnen een maand moeten worden afgelost.

TIP

Notaris niet meer nodig

Bij een lening wordt geen ondertekende onderhandse of notariële akte meer als voorwaarde gesteld. Het is nu voldoende als een kredietovereenkomst op papier of op een andere duurzame drager is aangegaan. Denk aan, cd-roms, dvd's en de harde schijf van de computer waar elektronische post wordt opgeslagen.

6.1b Wet op het consumentenkrediet (Wck)

Als consument wordt u bij het aangaan van een lening en gedurende de looptijd beschermd door de Wet op het consumentenkrediet (Wck). Hierin zijn de regels van de Europese richtlijn voor consumentenkrediet verwerkt. De belangrijkste punten uit de wet zijn:

- U moet lenen bij een beroepsmatige kredietverstrekker. Als u geld van uw buurman leent, kunt u zich niet op de wet beroepen.
- De wet geldt maar zeer beperkt voor hypothecaire leningen en niet voor ondernemers en effectenkrediet waarbij de lening niet hoger is dan de waarde van de onderliggende effectenportefeuille (u leent dan geld met uw effectenportefeuille als onderpand).
- De kredietgever (de bank of een andere financiële instelling) moet een vergunning hebben. Deze wordt verstrekt door de AFM, mits de kredietverstrekker aan bepaalde eisen voldoet. Ook nadat een vergunning is gegeven, kan de AFM op bezoek gaan om te controleren of de kredietverstrekker zich nog aan de regels houdt. Is dat niet het geval, dan worden er maatregelen genomen. Verder let de AFM op of de kredietverstrekker de juiste informatie aan de consumenten geeft en zich daarbij aan de regels houdt. *Let op*: kredietbemiddelaars hoeven geen vergunning te hebben. Zij nemen immers niet zelf het financiële risico. Wel staan zij onder toezicht van de AFM.
- De kredietgever moet vastleggen wat de effectieve rente is. Dit is de totale kostprijs van uw lening bij normaal betalingsgedrag.

- Bij een lening van meer dan €1000 moet de kredietgever controleren of u kredietwaardig bent. Hierbij hoort een controle van uw gegevens bij het BKR (zie par. 6.1c).
- Als uw kredietaanvraag wordt afgewezen, heeft u recht op een schriftelijke opgave van de redenen.
- De betalingsregeling moet schriftelijk in een kredietovereenkomst worden vastgelegd. Beneden de €1000 zijn de voorwaarden minder strikt dan boven dat bedrag.
- Een kredietgever mag uw verplichtingen niet tussentijds verzwaren. Ook mag hij de terugbetalingen niet vervroegd opeisen, tenzij er bijzondere omstandigheden zijn, zoals twee maanden achterstand die u ook na aanmaning niet heeft ingelopen of omdat u Nederland gaat verlaten vanwege een faillissement.

6.1c Bureau Krediet Registratie

Het BKR (zie Adressen) is in 1965 door het financiële bedrijfsleven opgericht om de centrale kredietregistratie te verzorgen. De centrale kredietregistratie is enerzijds bedoeld om consumenten te beschermen tegen bovenmatig lenen, anderzijds als bescherming van banken tegen wanbetalers. Het BKR houdt niet alle kredietverplichtingen bij: een krediet moet binnen de registratiegrenzen vallen (van €500 tot en met €175.000). Bovendien moet de looptijd langer zijn dan drie maanden.
Het BKR registreert alleen kredieten aan natuurlijke personen (inclusief eenmanszaken). De zakelijke kredietverlening, dus ook die aan bv's en nv's, houdt het BKR niet bij. Alleen hypotheken worden genoteerd als er een betalingsachterstand is van meer dan 120 dagen.
Voor de beoordeling van een kredietaanvraag zijn de BKR-gegevens voor een bank van essentieel belang: hoeveel krediet heeft u al en is het afbetalen tot nu toe goed gegaan? Via het opvragen van de BKR-score krijgt de bank deels antwoord op de vraag hoeveel risico hij loopt als hij u een krediet verleent. Maar

TIP

Blijf aflossen

Blijf, ook in geval van een geschil, altijd op tijd uw termijnbedragen betalen. Anders riskeert u een achterstandsmelding bij het BKR. De kredietgever mag dit doen, mits zij een wachttijd van twee maanden hanteert en u vooraf informeert.

voor een complete beoordeling zal de bank ook inzicht moeten hebben in uw inkomensgegevens en uw vaste lasten. Die staan niet bij het BKR vermeld.

TIP

Consumentenrechten bij het BKR

Als consument heeft u bij het BKR de volgende rechten:

- *Recht van inzage*: wilt u weten wat er over u staat genoteerd, vul dan bij uw bank het daartoe bestemde formulier in. U moet zich hierbij legitimeren en €4,95 betalen. U hoeft niet te zeggen waarom u de gegevens wilt zien. Binnen een paar dagen krijgt u rechtstreeks van het BKR het overzicht van uw eigen gegevens. Wilt u de gegevens snel inzien, dan kan dit na telefonische afspraak bij het BKR zelf.
- *Recht van correctie*: blijkt dat de vermelde gegevens niet kloppen, dan kunt u deze via uw bank laten corrigeren. Staan er onjuiste gegevens in uw dossier, dan krijgt u de €4,95 weer terug.
- *Recht van protocol*: u mag zien wie van de deelnemers de afgelopen 12 maanden uw gegevens heeft opgevraagd. Ook dit kost €4,95. Als u denkt dat uw gegevens onjuist vermeld staan en het lukt niet de medewerking van de bank te krijgen om deze bij het BKR te laten veranderen, neem dan contact op met de Geschillencommissie BKR.

6.1d Wet schuldsanering natuurlijke personen (Wsnp)

Door tegenslag kan het gebeuren dat u niet meer aan uw aflossingsverplichtingen kunt voldoen en in de schulden raakt. Sinds een aantal jaren is het, onder zware voorwaarden, mogelijk te komen tot een schuldsanering. Die heeft als doel u binnen een termijn van ongeveer drie jaar schuldenvrij te laten zijn, zodat u weer met een schone lei kunt beginnen en u niet tot in lengte van jaren in de financiële moeilijkheden zit.

Heeft u behoefte aan hulp om schuldenvrij te worden, ga dan naar de gemeente (Sociale Dienst of afdeling Voorlichting). Die wijst u de weg naar bekwame schuldhulpverleners: gemeentelijke kredietbanken of instellingen voor schuldhulp of maatschappelijk werk. Samen met hen maakt u een plan om de schulden af te betalen. Uw inkomen, vaste lasten, vermogen en hoogte van de schulden zijn hiervoor belangrijke gegevens. Ook proberen zij afspraken te maken met de schuldeisers. Lukt het met hen tot een 'minnelijk akkoord' te komen, dan betaalt u drie jaar lang een vast bedrag en wordt de rest van de schuld kwijtgescholden.

Sommige schuldeisers staan niet open voor een dergelijk akkoord. Dan kunt u via de gemeente gebruikmaken van de Wsnp. Ook dan wordt er een plan gemaakt om zo veel mogelijk af te betalen, maar dwingt de rechter de schuldeisers hieraan mee te werken.
U krijgt een bewindvoerder toegewezen die controle op de uitvoering van de regeling uitoefent. Hij mag uw post openen om te zien of u zich aan uw afspraken houdt. Verder kan hij u bijvoorbeeld dwingen goedkoper te gaan wonen. Dit is dus geen gemakkelijke weg.
Aan de Wsnp-regeling zijn strenge voorwaarden verbonden. De Raad voor de Rechtsbijstand in Den Bosch coördineert de aanvragen voor de Wsnp voor de rechtbanken. Meer informatie over deze wet vindt u op www.wsnp.rvr.org.

Landelijk Informatiesysteem Schulden (LIS)

Het LIS is een nieuw systeem voor het vastleggen van schulden van particulieren, ter aanvulling op het BKR. Het BKR registreert langlopende schulden; het LIS is bedoeld voor kortlopende schulden, zoals achterstanden bij de huur- of energiebetaling of schulden bij de Sociale Dienst.
De partijen die het LIS ondersteunen, zoals de Nederlandse Vereniging van Banken (NVB), de Vereniging voor schuldhulpverlening en sociaal bankieren (NVVK), het Leger des Heils, gemeenten, woningcorporaties, energieleveranciers en thuiswinkelorganisaties, hebben een onderzoek naar het nut van het LIS laten uitvoeren. Daaruit blijkt dat problematische schulden in 80% van de gevallen vroegtijdig zouden zijn ontdekt als het LIS al had bestaan en bijsturing dus eerder mogelijk was geweest. Doorgaans gaan consumenten lenen op het moment dat zij al in de problemen zitten. Volgens de voorstanders is dit te voorkomen met het installeren van het LIS.

6.2 Klachten

Afhankelijk van het onderwerp kunt u een klacht indienen bij een van de volgende genoemde instanties. Zo kunt u voor klachten over uw kredietbemiddelaar of uw financieel adviseur naar het Kifid of naar de rechter.

6.2a Klacht over registratie bij BKR

Als u het niet eens bent met uw registratie bij het BKR en u komt niet tot overeenstemming met de kredietverlener die de registratie liet aanbrengen of met het BKR, dan kunt u de Geschillencommissie BKR om een uitspraak vragen. Deze uitspraak is bindend voor alle partijen. Voor het indienen van bezwaren bij de geschillencommissie gelden enkele voorwaarden:

- U moet aantonen dat u uw bezwaar al eerder kenbaar heeft gemaakt aan het BKR en/of aan de betreffende kredietverlener. Pas als u niet tot overeenstemming heeft kunnen komen, staat de weg naar de geschillencommissie open.
- U moet uw bezwaar schriftelijk indienen binnen twee maanden nadat het BKR en/of de betreffende kredietverlener uw verzoek tot correctie heeft afgewezen.
- U moet €22,50 betalen als bijdrage in de kosten. Deze krijgt u retour als u door de geschillencommissie in het gelijk wordt gesteld.
- U moet uw bezwaar aanhangig maken binnen 12 maanden nadat de betreffende registratie aan u bekend is geworden.

6.2b Klacht over lening bij de bank

Heeft u een lening lopen bij een van de leden van de NVB (zie Adressen), dan moet u in eerste instantie een klacht indienen bij de bank zelf. Vraag hiervoor de klachtenprocedure op. Komt u er samen niet uit en heeft u de gehele klachtenprocedure doorlopen, dan kunt u een klacht indienen bij het Kifid.

6.2c Klacht over schuldhulpverlening

Met een klacht over de schuldhulpverlening van een NVVK-lid moet u eerst naar het lid zelf toestappen. Als dat niet helpt, kunt u de klachtenprocedure van het NVVK-lid zelf doorlopen (informeer hiernaar bij het lid).
Bent u na afhandeling van de klacht nog niet tevreden, dan kunt u een klacht indienen bij de NVVK. Uw klacht wordt dan behandeld door de Commissie Kwaliteitszorg van de vereniging (zie Adressen).

7 PENSIOEN

Welke wettelijke regels zijn er rond pensioenen en wat kunt u doen als u een geschil heeft over uw pensioen?

Misschien denkt u bij pensioen aan uitkeringen die u ontvangt na uw 65^{e} jaar. In werkelijkheid is het begrip veel breder: een pensioen is elke periodieke uitkering die u ontvangt vanaf het moment dat u zelf niet meer voor uw inkomen kunt zorgen. Er zijn drie situaties waarin dat kan gebeuren: door ouderdom (u ontvangt dan ouderdomspensioen), door arbeidsongeschiktheid (u ontvangt dan arbeidsongeschiktheidspensioen) of door overlijden. In dat laatste geval ontvangen uw nabestaanden een nabestaandenpensioen.
Uw pensioen kan afkomstig zijn uit drie verschillende bronnen: de overheid zorgt voor een uitkering (denk aan de AOW, de Anw en de WAO), uw werkgever kan een regeling getroffen hebben en u kunt ten slotte zelf voor een financiële reserve zorgen. Deze drie bronnen samen vormen ons pensioenstelsel. We richten ons hier vooral op de werknemerspensioenen.
U kunt als werknemer een pensioen opbouwen als er in het bedrijf waar u werkt een pensioenregeling is. Nederland kent geen algemene pensioenplicht, dus niet iedere werknemer bouwt pensioen op bij zijn werkgever. Een werkgever moet alleen een pensioen aanbieden als er een verplichting geldt voor de bedrijfstak van de werkgever of als dit in de cao is vastgelegd.
Naast ouderdomspensioen bouwt u bij uw werkgever vaak ook nabestaandenpensioen op. Het nabestaandenpensioen bestaat uit twee delen: wezenpensioen en partnerpensioen, al dan niet op risicobasis. Op risicobasis wil zeggen dat de partner alleen verzekerd is van een uitkering als de overledene tot zijn dood actief was en premie betaalde.

7.1 Pensioenuitvoerders

Er zijn verschillende pensioenuitvoerders in Nederland: pensioenfondsen (ondernemings-, bedrijfstak- en beroepspensioenfondsen), levensverzekeraars en – sinds 1 januari 2011 – premiepensioeninstellingen (PPI). De gezamenlijke premies van alle werknemers worden bij een van deze drie pensioenuitvoerders gestort. Pensioenfondsen en verzekeraars beleggen het geld; een PPI kan de premie voor u beleggen of op een spaarrekening storten. Door te beleggen of te sparen wordt een pensioenkapitaal voor later opgebouwd. Van uw pensioenuitvoerder hoort u de volgende informatie te krijgen:

- een startbrief zodra u deelnemer wordt van de pensioenregeling;
- informatie over een eventuele vrijwillige pensioenregeling;
- het Uniform Pensioenoverzicht (UPO), dat krijgt u elk jaar van uw huidige pensioenuitvoerder en eens per vijf jaar van uw eventuele vorige pensioenuitvoerder(s);
- een pensioen(toekennings)brief (bevat informatie over als u met pensioen gaat);
- een melding als uw werkgever premieachterstand heeft;
- een reglementwijzigingsvoorstel (indien van toepassing);
- bij scheiding een overzicht voor de ex-partner;
- eens in de vijf jaar een UPO voor de ex-partner;
- een stopbrief (beëindigingsoverzicht opgebouwd pensioen) als u uit dienst gaat;
- een fiscaal jaaroverzicht voor gepensioneerden.

Meer informatie over deze verschillende soorten informatie vindt u op de website van de Autoriteit Financiële Markten (AFM).

7.2 Pensioenverevening

Voor alle scheidingen die plaats hebben gevonden op of na 1 mei 1995 geldt de Wet verevening pensioenrechten bij scheiding (kortweg: Wet pensioenverevening). In deze wet wordt bepaald dat het pensioen bij scheiding verevend wordt: de ex-partner heeft recht op de helft van het ouderdomspensioen dat tijdens het huwelijk is opgebouwd.
De hoeveelheid ouderdomspensioen die op de scheidingsdatum is opgebouwd, is gelijk aan het premievrij ouderdomspensioen dat u zou hebben gekregen als u op het moment van scheiding ontslag had genomen.
De uitkering van het ouderdomspensioen aan de beide ex-partners vindt plaats als de pensioengerechtigde partner met pensioen gaat. Als u degene

bent die recht heeft op de helft van het door uw ex-partner opgebouwde pensioen, moet u wel de scheiding binnen twee jaar aan de pensioenuitvoerder of verzekeraar melden. Dan krijgt u uw deel rechtstreeks uitbetaald. Bent u te laat, dan moet u uw aandeel in het ouderdomspensioen opeisen bij uw ex-partner.
Het deel van het ouderdomspensioen dat aan de ex wordt toebedeeld, wordt uitgekeerd zolang de beide ex-echtgenoten in leven zijn. Als de (toebedeelde) ex-partner overlijdt, ontvangt degene die het pensioen heeft opgebouwd weer het volledige pensioen. Als de pensioengerechtigde eerder overlijdt, ontvangt de ex alleen het bijzonder nabestaandenpensioen, voor zover daarin is voorzien.
Als u wilt afwijken van de wettelijke regeling kunt u dat in de huwelijkse voorwaarden, en mogelijk in het echtscheidingsconvenant, laten vastleggen.

7.3 Ongelijke behandeling mannen en vrouwen

Het is niet toegestaan dat mannen en vrouwen op pensioengebied verschillend worden behandeld. Tot het begin van de jaren 90 kwam het regelmatig voor dat voor mannen en vrouwen verschillende pensioenen waren geregeld. Bovendien konden (getrouwde) vrouwen vaak niet eens aan de pensioenregeling deelnemen. Ook op andere punten werden mannen en vrouwen in een pensioenregeling vaak anders behandeld.
In een pensioenregeling kan ook sprake zijn van indirecte discriminatie. Zo kwam het in het verleden vaak voor dat deeltijdwerkers van een pensioenregeling waren uitgesloten. Juist vrouwen werken veel in deeltijd. Zowel directe als indirecte discriminatie is verboden. Directe discriminatie is natuurlijk gemakkelijk aan te tonen, maar bij indirecte discriminatie is dat een stuk moeilijker. Pas als uit statistieken blijkt dat vrouwen door een bepaling sterk benadeeld worden, valt daar in een rechtszaak iets aan te doen. In plaats van een rechtszaak te beginnen, kunt u eerst om het oordeel van de Commissie Gelijke Behandeling (zie Adressen) vragen. Deze commissie beoordeelt zaken over ongelijke behandeling in geslacht, seksuele geaardheid, burgerlijke staat, ras en nationaliteit. Het oordeel van de commissie wordt over het algemeen gevolgd, maar is niet bindend.
Het Europees Hof heeft sinds 1990 enkele uitspraken gedaan die steeds duidelijker maken welke vormen van ongelijke behandeling van vrouwen en mannen in pensioenregelingen verboden zijn. Zo mogen er geen on-

gelijke pensioenleeftijden zijn, geen ongelijke toetredingsleeftijden, geen ongelijke opbouwpercentages, geen ongelijke franchises en geen ongelijke bijdragen. Verder moet men vrouwen dezelfde pensioensoorten aanbieden als mannen. Als er dus een weduwenpensioen is geregeld, moet er ook een weduwnaarspensioen zijn.

7.4 Pensioenreglement

Als een werkgever pensioen aan werknemers toezegt, is dat meestal vastgelegd in de cao of in de arbeidsovereenkomst. Daarnaast is er meestal een pensioenreglement waarin de pensioentoezegging wordt beschreven. In het pensioenreglement komt een aantal zaken aan de orde, zoals pensioenleeftijd, diensttijd, opbouwpercentage en ontslagbepalingen.

7.5 Toezichthouders

De AFM en De Nederlandsche Bank (DNB) houden toezicht op de pensioenuitvoerders.

7.5a AFM

Sinds 1 januari 2007 houdt de AFM op basis van de Pensioenwet (Pw) en de Wet verplichte beroepspensioenregelingen toezicht op de informatieverstrekking door pensioenuitvoerders (pensioenfondsen en levensverzekeraars die collectieve pensioenregelingen uitvoeren). De pensioenuitvoerders moeten bepaalde, in de wet vastgelegde informatie geven aan de pensioendeelnemers, aan de ex-deelnemers (slapers) en aan de gepensioneerden. Deze informatie moet op tijd, begrijpelijk, duidelijk en juist zijn.
Ook houdt de AFM toezicht op de naleving van de zorgplicht bij beschikbare premieregelingen. De zorgplicht is een verplichting van de pensioenuitvoerder om de deelnemer goed te adviseren over zijn pensioenbeleggingen opdat hij niet onverantwoord gaat beleggen.

7.5b DNB

DNB controleert de financiële positie van pensioenfondsen (op basis van de Pw) en van levensverzekeraars (op basis van de Wet financieel toezicht). Voor het oprichten van een pensioenfonds of verzekeringsmaatschappij is toestemming van DNB nodig. Die toestemming wordt alleen gegeven als een pensioenfonds of levensverzekeraar over voldoende financiële middelen beschikt en deskundige en integere bestuurders heeft. Het toezicht van DNB moet de kans verkleinen dat uw pensioenfonds of levensverzekeraar in de moeilijkheden komt.

TIP

Registers

In de registers op de site van DNB zijn alle pensioenfondsen en levensverzekeraars opgenomen die onder hun toezicht staan. Op de website vindt u ook de (rechts)opvolgers van niet meer bestaande pensioenfondsen. Neem voor vragen contact op met de Informatiedesk van DNB, van maandag tot en met vrijdag van 09.00 uur tot 17.00 uur. Telefoon 0800 – 020 1068 (gratis). Of stuur een mailtje naar info@dnb.nl.

7.6 Belangenbehartigers

De partij waarvoor het pensioen is geregeld, de pensioenconsumenten, is in verschillende groepen in te delen. U bent een actieve deelnemer als u bezig bent met de pensioenopbouw, maar als u al met pensioen bent, bent u een gepensioneerde. Bent u van baan veranderd en is de pensioenregeling achtergebleven bij de pensioenuitvoerder van uw vroegere werkgever, dan bent u bij die vorige pensioenuitvoerder een slaper. Ook kunt u als arbeidsongeschikte premievrij blijven deelnemen aan een pensioenregeling. Ten slotte zijn er pensioenen voor nabestaanden en ex-echtgenoten van deelnemers, slapers of gepensioneerden.
Er zijn verschillende organisaties die opkomen voor de belangen van die verschillende pensioenconsumenten.

7.6a Vakbonden

Vakbonden hebben een grote invloed op de totstandkoming en invulling van pensioenregelingen. Namens werknemers onderhandelen ze met werkgevers over de inhoud van pensioenregelingen. Ook zijn ze lid van het bestuur van een pensioenfonds. Als u lid bent van een vakbond, kunt u er met vragen terecht en kunt u in aanmerking komen voor rechtsbijstand.

7.6b Deelnemersraad

Volgens de Pensioen- en spaarfondsenwet moet een bedrijfspensioenfonds een deelnemersraad instellen als daarom wordt gevraagd door een of meer verenigingen van deelnemers. Een voorwaarde is wel dat ze samen minstens 5% van het totaal aantal verzekerden moeten vertegenwoordigen. Zo'n deelnemersraad mag het bestuur adviseren over alle aangelegenheden die met het pensioenfonds te maken hebben. In bepaalde gevallen moet het bestuur verplicht advies vragen van een deelnemersraad.

TIP

Zorgen over pensioen

Veel mensen zijn tegenwoordig bezorgd over hun pensioen. Vaak heeft een pensioenfonds een deelnemersraad. Vraag die om uitleg als u zich ergens zorgen over maakt, want de deelnemersraad moet ervan op de hoogte zijn als zaken niet lopen zoals het moet. Denk aan premies die te laat of helemaal niet worden betaald of aan onvoldoende geld in de pensioenpot.

Als uw pensioen bij een verzekeraar is ondergebracht, is er meestal geen deelnemersraad. Vraag dan goed na welke nadelige gevolgen uw situatie heeft en of het verstandig is extra maatregelen te nemen. Neem zo nodig ook contact op met uw werkgever.

7.6c Enkele verenigingen van ouderen en gepensioneerden

Er is een aantal organisaties dat opkomt voor de pensioenbelangen van ouderen:

- Coördinatieorgaan van samenwerkende ouderenorganisaties (CSO; zie Adressen);
- Nederlandse Vereniging van Organisaties van Gepensioneerden (NVOG; zie Adressen);
- Nederlandse Bond voor Pensioenbelangen (NBP; zie Adressen).

7.7 Klachten

7.7a Geschil over AOW, Anw of WAO

Als u het niet eens bent met een *beslissing* van de Sociale Verzekeringsbank (SVB; zie Adressen), moet u eerst een bezwaarschrift indienen bij de SVB.

Een bezwaar over een WAO-uitkering kunt u aantekenen bij het Uitvoeringsinstituut Werknemersverzekeringen (UWV). Het is belangrijk om dit tijdig te doen. Bij de SVB is de termijn zes weken, bij het UWV wordt de termijn in de brief met de beslissing genoemd. Bezwaar aantekenen tegen een beslissing van het UWV of de SVB kost u niets.
Bent u niet tevreden met het antwoord op het bezwaarschrift, dan kunt u in beroep gaan bij de sector Bestuursrecht van de rechtbank. Als u het niet eens bent met de beslissing van de rechter, kunt u in hoger beroep bij de Centrale Raad van Beroep. Gaat uw klacht niet over een beslissing, maar over de manier waarop de SVB of het UWV u heeft *behandeld*, dan dient u de klacht eerst in bij het klachtenbureau van deze organisaties.
Vindt u dat de klacht niet goed is afgehandeld, dan kunt u naar de Nationale ombudsman (zie Adressen) gaan. Binnen drie weken hoort u wat hij voor u kan doen. Hij kan ingrijpen, wat inhoudt dat hij via een gesprek met de overheidsinstantie het probleem probeert op te lossen. Een andere optie is dat hij onderzoek doet en daarover rapporteert. Alle betrokkenen (dus ook de overheidsinstantie) zijn verplicht aan zo'n onderzoek mee te werken en kunnen daarna reageren op elkaars antwoorden. Na dit 'hoor en wederhoor' vormt de Nationale ombudsman zijn oordeel. Hij brengt een rapport uit (zonder namen van personen te noemen) en sluit daarmee het onderzoek. Alle rapporten van de Nationale ombudsman zijn openbaar. Een uitspraak, advies of rapport van de Nationale ombudsman is – anders dan bij een uitspraak van een rechter – niet bindend.

Nationale ombudsman

De Nationale ombudsman is onafhankelijk en onpartijdig en behandelt klachten over bijna alle overheidsinstanties: de ministeries, andere bestuursorganen (zoals de SVB en de Dienst Uitvoering Onderwijs), de politie, de waterschappen, de provincies en een groot aantal gemeenten. De Nationale ombudsman kan ook op eigen initiatief een onderzoek doen. Wat hij wel en niet mag doen, ligt vast in de wet.

7.7b Geschil over een aanvullende pensioenregeling

Neem eerst contact op met de pensioenuitvoerder. Helpt dit niet, dan kunt u vaak naar een klachtencommissie van de pensioenuitvoerder. Bent u niet tevreden over de uitkomsten van de klachtencommissie, dan kunt u kos-

teloos naar de Ombudsman Pensioenen (zie Adressen) als het gaat om de uitvoering van een pensioenreglement.
Met een klacht van verzekeringstechnische aard kunt u naar de Ombudsman Pensioenen of naar het Kifid.

Ombudsman Pensioenen
De Ombudsman Pensioenen is op 1 april 1995 ingesteld door de Vereniging van Bedrijfstakpensioenfondsen (VB) en de Stichting voor Ondernemingspensioenfondsen (Opf). De overgrote meerderheid van bedrijfstak- of ondernemingspensioenfondsen is aangesloten bij een van deze organisaties. Sinds 1 januari 2009 zijn ook verzekeraars aangesloten bij de Ombudsman Pensioenen. Deze verzekeraars zijn aangesloten bij het Verbond van Verzekeraars (VvV).
De Ombudsman Pensioenen is een onafhankelijke instelling die klachten en geschillen behandelt over de uitvoering van een pensioenreglement. U kunt er wel pas een klacht indienen nadat u eerst de klachtenregeling van uw eigen pensioenuitvoerder heeft gevolgd. Een brief waarin de klacht of het geschil duidelijk wordt omschreven, is voldoende. Een zaak kan niet per e-mail aanhangig worden gemaakt. De ervaring heeft geleerd dat het verstandig is eerst het secretariaat te vragen of een zaak zich leent voor een behandeling door de Ombudsman Pensioenen. Het inschakelen van de Ombudsman Pensioenen kost niets.
De ombudsman kijkt eerst of de oorzaak van de onvrede kan worden weggenomen door een duidelijke uitleg van wat er aan de hand is. Een pensioenregeling is namelijk vaak erg ingewikkeld. Is de klacht of het geschil blijvend van aard, dan zal de ombudsman proberen via bemiddeling tot een oplossing te komen. Als bemiddeling geen effect heeft, kan de ombudsman een advies uitbrengen. Het advies is niet bindend, maar wordt als regel gevolgd.
Met een klacht over het pensioenreglement zelf kunt u niet bij de Ombudsman Pensioenen terecht. De inhoud van een pensioenregeling berust op een overeenkomst tussen werkgevers en werknemers, en alleen zij kunnen die veranderen. U kunt zich daarvoor het best wenden tot een belangenorganisatie, ondernemingsraad of deelnemersraad. Klachten en/of geschillen over de uitvoering van wettelijke bepalingen kan de Ombudsman Pensioenen evenmin behandelen. Daarmee moet u naar de rechter.

Kifid
Wie een klacht heeft over een pensioenpolis die hijzelf of zijn werkgever met een *verzekeraar* heeft gesloten, kan daarmee ook naar het Kifid. Deze

geschilleninstantie behandelt de min of meer verzekeringstechnische klachten die bijvoorbeeld kunnen bestaan bij andere levensverzekeringen (zoals lijfrentepolissen en kapitaalverzekeringen).

7.7c Ongelijke behandeling

Als u een zaak heeft over ongelijke behandeling binnen de pensioenregeling, dan kunt u zich wenden tot de Commissie Gelijke Behandeling (zie Adressen). Bijvoorbeeld als u het niet eens bent met de korting op het partnerpensioen, omdat uw partner 10 jaar jonger is dan u. Of als in uw bedrijf de administratief medewerkers worden uitgesloten van deelname aan de pensioenregeling, terwijl dit toevallig allemaal vrouwen zijn.

De procedures bij de Ombudsman Pensioenen, het Kifid en de Commissie Gelijke Behandeling zijn gratis. Als u vindt dat de interne klachtenregeling van het pensioenfonds of de inschakeling van een van de ombudsmannen niet tot een goed resultaat heeft geleid, dan kunt u naar de rechter stappen. Win dan wel eerst juridisch advies in. U kunt het een en ander natuurlijk ook melden bij de toezichthouder AFM.

8 VERZEKERINGEN

Vrijwel iedereen heeft een of meer verzekeringen. Vooral bij schade kunnen problemen ontstaan, bijvoorbeeld over de dekking. Maar ook de premie kan reden voor een klacht zijn.

Een verzekering is een overeenkomst die u aangaat met uw verzekeraar. Als bewijs krijgt u een polis waarin kort staat tegen welk risico u bent verzekerd en wat de polisvoorwaarden zijn. Die voorwaarden omschrijven uw rechten en plichten, dus lees ze altijd eerst goed door. Er zijn verschillende soorten verzekeringen.

- *Schadeverzekeringen*. Hiermee verzekert u zich tegen risico op schade. U kunt zich tegen materiële schade verzekeren, bijvoorbeeld met een auto- of inboedelverzekering, maar ook tegen immateriële schade, via bijvoorbeeld een zorg- of een rechtsbijstandsverzekering.
- *Levensverzekeringen*. Een levensverzekeraar keert een afgesproken bedrag uit wanneer de verzekerde persoon overlijdt of de verzekering is verlopen (in dat geval leeft de verzekerde persoon dus nog). Onder levensverzekeringen vallen lijfrente-, kapitaal- en gemengde verzekeringen, maar ook overlijdensrisicoverzekeringen. *Let op*: ongevallenverzekeringen zijn geen levensverzekeringen.
- *Natura-uitvaartverzekeringen*. Natura-uitvaartverzekeraars keren bij een overlijden in natura uit in plaats van geld, door de uitvaart te regelen. Bij gewone uitvaartverzekeringen krijgt u een bedrag waarvan u zelf de uitvaart moet regelen en bekostigen. Uitvaartverzekeringen laten we hierna buiten beschouwing.

8.1 Vergunningen en registers

Verzekeraars vallen onder de Wet op het financieel toezicht (Wft). Die bepaalt onder meer dat een verzekeraar een vergunning moet hebben. Alle verzekeraars met een vergunning staan in de registers van De Nederland-

Gelijke behandeling bij levensverzekeringen

Het Hof van Justitie van de EU heeft bepaald dat verzekeraars vanaf 21 december 2012 geen onderscheid meer mogen maken tussen mannen en vrouwen op grond van hun levensverwachting. Dat blijkt uit een uitspraak van 1 maart 2011 (zaak C-236/09). De zaak was aangespannen door de Belgische consumentenorganisatie Test-Aankoop.
Verzekeraars berekenen nu bij levensverzekeringen verschillende premies voor mannen en vrouwen, omdat de laatste groep statistisch gezien langer leeft. Dat mag straks niet meer. De levensverwachting wordt namelijk niet alleen beïnvloed door het geslacht, maar ook door de economische en sociale omstandigheden waarin iemand leeft, en door leefgewoonten.
Voor de collectieve pensioenregelingen in ons land heeft deze uitspraak geen gevolgen, omdat dit onderscheid in de Pensioenwet al is verboden. Voor individuele levensverzekeringen heeft de uitspraak echter wel gevolgen. Vrouwen gaan straks meer en mannen minder betalen voor overlijdensrisicoverzekeringen.
Gelijkberechtiging pakt in dit geval veelal slecht uit voor vrouwen. Uit onderzoek van MoneyView blijkt dat de premie voor vrouwen maximaal 13,5% duurder wordt. Maar voor een kleine groep vrouwen kan de premie ook 22% goedkoper worden. Mannen hebben enkel voordeel van de nieuwe regel. Voor hen daalt de premie zo'n 14 tot 45%.
Als je ervan uitgaat dat er net zoveel mannen als vrouwen zijn verzekerd, dan zullen de premies van overlijdensrisicoverzekeringen gemiddeld 17% dalen. Maar in Nederland is slechts een op de vier mensen met een overlijdensrisicoverzekering vrouw. Daardoor daalt de premie over de hele linie gemiddeld 25%.
Het is nog onduidelijk of de premiewijzigingen alleen voor nieuwe of ook voor bestaande polissen gaan gelden.

sche Bank (DNB). De vergunning wordt alleen afgegeven aan een verzekeraar die over voldoende financiële middelen beschikt en betrouwbare en deskundige bestuurders heeft. Het toezicht van DNB is geen garantie dat een verzekeraar nooit in moeilijkheden zal komen, maar de kans hierop is wel aanzienlijk kleiner.

Keurmerk Klantgericht Verzekeren
Het Keurmerk Klantgericht Verzekeren is een kwaliteitsgarantie voor de dienstverlening en klantgerichtheid van een verzekeraar. Meer informatie over dit keurmerk vindt u op www.keurmerkverzekeraars.nl.

8.1a Buitenlandse verzekeraars

Ook buitenlandse verzekeraars kunnen via bijkantoren verzekeringsproducten in Nederland aanbieden. Dit mogen zij doen op basis van een vergunning van een ander EU-land. Deze verzekeraars staan niet onder toezicht van DNB, maar van het land waar zij hun hoofdvestiging hebben. Dit is mogelijk omdat het toezicht in de EU volgens Europese verzekeringsrichtlijnen is opgezet en dus in ieder land vrijwel gelijk is.
Als een buitenlandse verzekeraar uit Europa in Nederland producten aanbiedt zonder hier over een kantoor te beschikken, spreken we van vrije dienstverrichting (VDV). Deze buitenlandse verzekeraars moeten zich wel melden bij DNB. Een overzicht van alle aangemelde buitenlandse verzekeraars treft u aan in de 'Registers Verzekeraars' op de website van de Autoriteit Financiële Markten (AFM).

8.1b Tussenpersonen

Veel verzekeraars bieden hun verzekering via een tussenpersoon aan. Tussenpersonen, ook wel assurantietussenpersonen genoemd, staan niet onder toezicht van DNB maar van de AFM. Sinds twee jaar moeten tussenpersonen

TIP

Aandachtspunten
Let u bij het afsluiten van een verzekering vooral op:
- wat er wel en niet wordt gedekt door de verzekering;
- wat u moet doen om aanspraak te kunnen maken op uw schadevergoeding of uw levensverzekering;
- of uw verzekering automatisch wordt verlengd;
- wat er in de algemene voorwaarden staat;
- of de verzekeraar wel een vergunning heeft (hij krijgt en behoudt de vergunning van DNB alleen als hij aan de wettelijke eisen voldoet);
- hoe u de verzekering weer kunt opzeggen.

die een verzekering, belegging of hypotheek verkopen, een vergunning hebben. Alle vergunninghouders zijn te vinden op de website van de AFM. Meer over tussenpersonen leest u in hoofdstuk 9.

8.2 Uw rechten en plichten

Uw rechten en plichten tegenover de verzekeraar staan omschreven in de algemene voorwaarden van de verzekering. We lopen ze kort door en vertellen u gelijk hoe u mogelijke problemen moet aanpakken.

8.2a Premie betalen

Als verzekerde moet u natuurlijk premie betalen, en wel vooraf. Betaal altijd op tijd, anders kan de verzekeraar de dekking namelijk opschorten, wat inhoudt dat hij niet uitkeert als u schade lijdt. Opschorten is pas mogelijk nadat de verzekeraar u heeft herinnerd aan uw schuld en u uitdrukkelijk heeft gewezen op de consequenties van een te late betaling. Wettelijk gezien heeft u na de aanmaning 14 dagen de tijd om alsnog de premie te betalen. Doet u dit, dan wordt de dekking weer hersteld, maar niet met terugwerkende kracht. Doet u dit niet, dan mag een maatschappij de verzekeringsovereenkomst met terugwerkende kracht beëindigen.

Extra kosten

Bij het sluiten van de verzekering wordt meestal eenmalig een bedrag aan poliskosten in rekening gebracht. Bovendien berekenen veel verzekeringsmaatschappijen en tussenpersonen bij de jaarlijkse premiebetaling administratiekosten. Bij de betaling per maand geldt vaak een toeslag. Over zowel de premie als de kosten wordt (sinds 1 maart 2011) 9,7% assurantiebelasting geheven. Deze belasting hoeft echter niet betaald te worden bij een aantal persoonsgebonden verzekeringen, zoals levens-, ziektekosten- en arbeidsongeschiktheidsverzekeringen.

8.2b Volledige informatie geven

Behalve dat u de premie moet voldoen, zijn er meer belangrijke plichten. Heeft u voor een bepaalde verzekering gekozen, dan moet u voor het afsluiten ervan meestal een vragenformulier invullen. U moet alle gegevens

verstrekken die de verzekeraar nodig heeft om het te verzekeren risico te beoordelen.
Maar het is best mogelijk dat u bepaalde belangrijke gegevens, over bijvoorbeeld ziekten, over het hoofd ziet en onvermeld laat. Dat kan zelfs volkomen te goeder trouw gebeuren. Vul het formulier daarom dus zorgvuldig, volledig en eerlijk in. Denk aan eerdere schades, opzeggingen en niet-acceptatie door andere maatschappijen. Vergeet ook de aard en de ligging van een te verzekeren object niet. Denk ten slotte aan – alleen als daarnaar gericht wordt gevraagd – uw gezondheid en aan strafbare feiten die zich in de laatste acht jaren in uw directe omgeving hebben voorgedaan.
Het is dus onverstandig een blanco vragenformulier te ondertekenen en het invullen vervolgens aan uw tussenpersoon over te laten. Door uw handtekening staat u in voor de juistheid en volledigheid van de antwoorden. Vul de vragenlijst dus zelf in of laat dat doen terwijl u erbij bent.
Als de verzekeraar ontdekt dat u niet aan de mededelingsplicht heeft voldaan, moet hij u binnen twee maanden na de ontdekking op de niet-nakoming en de mogelijke gevolgen wijzen. Als de verzekeraar destijds bij een juiste voorstelling van zaken de verzekering niet onder dezelfde premie en/of voorwaarden zou hebben geaccepteerd, doet hij een voorstel voor een aanpassing van de verzekering. U heeft twee maanden bedenktijd. Als u niet akkoord gaat, wordt de verzekering beëindigd. Maar zou de verzekeraar de verzekering destijds in het geheel niet hebben geaccepteerd, dan komt de verzekering met onmiddellijke ingang te vervallen.
Maar wat als de verzekeraar de onjuiste opgave pas bij een schade bemerkt? Als het niet-nakomen van de mededelingsplicht alleen betrekking heeft op feiten die geen rol hebben gespeeld bij de ontstane schade, moet hij gewoon uitkeren (causaliteitsbeginsel). Maar als hij kan aantonen dat hij bij nakoming van de mededelingsplicht geen verzekering zou hebben gesloten, is hij geen uitkering verschuldigd.
Als de verzekeraar bij nakoming van de mededelingsplicht een hogere premie of een lager verzekerd bedrag zou hebben bedongen, wordt de uitkering naar evenredigheid verminderd. Als de premie bijvoorbeeld dubbel zo hoog zou zijn geweest, wordt de uitkering verminderd met de helft. Als de verzekeraar bij de nakoming van de mededelingsplicht andere voorwaarden zou hebben gesteld, moet de schade worden beoordeeld alsof deze andere voorwaarden van toepassing zouden zijn geweest.

Zwarte lijst

Als verzekeraars merken dat een klant de boel probeert te flessen, zetten ze zijn verzekering stop en registreren ze zijn naam in het Interne Verwijzingsregister, dat alleen toegankelijk is voor de eigen medewerkers. Zo kan de klant nieuwe verzekeringen bij die maatschappij wel vergeten. Daarnaast beschikken Nederlandse verzekeraars over een gezamenlijke database met meldingen en royementen: de Stichting Centraal Informatie Systeem (CIS; zie Adressen). U kunt in deze database terechtkomen als uw rijbewijs is ingenomen of als u met een onverzekerd voertuig schade heeft veroorzaakt. Deze gegevens worden na vijf jaar automatisch verwijderd. Met zo'n vermelding is het lastig om elders een verzekering af te sluiten. Daarbinnen bestaat een categorie 'Speciale meldingen' voor mensen die bewust over de schreef zijn gegaan. Het gaat vooral om fraude en oplichting, maar ook om het verzwijgen van belangrijke gegevens of een strafblad. Een vermelding op deze lijst blijft acht jaar staan. Als u wilt weten of u in de databank bent opgenomen, moet u schriftelijk een verzoek om inzage doen via het Inzageformulier Stichting CIS. Stuur een leesbare kopie van een geldig legitimatiebewijs mee. Als u vindt dat uw gegevens niet kloppen, kunt u een verzoek tot correctie indienen. Als op uw correctieverzoek niet wordt ingegaan, kunt u een klacht voorleggen aan de klachtencommissie van de betrokken verzekeraar. Heeft u dat al gedaan, dan kunt u naar het Kifid gaan. Uiteraard kunt u de zaak ook voorleggen aan de rechter, maar dat is een lange en kostbare weg.

8.2c Wijzigingen in de polis

Soms brengt de verzekeringsmaatschappij veranderingen aan. Vraag altijd de volledige voorwaarden op als uw verzekeraar wijzigingen doorvoert tijdens de looptijd van de verzekering. Meestal staat in de polis dat de maatschappij premies en/of voorwaarden mag wijzigen. Volgens de polis mag u in zulke gevallen vaak ook zelf de overeenkomst voortijdig beëindigen als u niet akkoord kunt gaan met de doorgevoerde wijziging. Meestal moet u dan wel binnen een maand reageren. Sommige maatschappijen beperken de opzegmogelijkheid tot wijzigingen die leiden tot premieverhoging of verslechtering van de voorwaarden. *Let op*: zeg alleen op als u inmiddels bij een andere maatschappij bent geaccepteerd.

8.2d Opzeggen

Afkoelingsperiode
Een verzekerde kan binnen 14 dagen na ontvangst van de papieren nog van de afgesloten schadeverzekering af. Voor levensverzekeringen met een looptijd van meer dan zes maanden geldt een afkoelingsperiode van 30 dagen.

Opzeggen bij einde verzekering
Zelf kunt u verzekeringen veel moeilijker beëindigen dan de maatschappij. Op 1 januari 2010 is er een eind gekomen aan de stilzwijgende verlenging. Bij particuliere schadeverzekeringen die na deze datum zijn afgesloten, is het standaarduitgangspunt voortaan een contracttermijn van een jaar.
Per 1 maart 2010 mogen verzekeringen die vóór 1 januari 2010 zijn afgesloten niet meer stilzwijgend door een verzekeraar worden verlengd. Dit betekent dat uw verzekeraar u de eerstvolgende keer na 1 maart 2010 zal moeten informeren dat uw verzekering verlengd gaat worden. U kunt de verzekering dan direct opzeggen met een opzegtermijn van maximaal een maand. U bent dus na afloop van de verzekeringstermijn vrij om over te stappen naar een andere verzekeraar. De verzekeraar is verplicht u bij de afloop van de verzekering te wijzen op uw opzegrecht.
Als u een verzekering voor langer dan een jaar wilt afsluiten, kan dit ook. U zult hiervoor bij het afsluiten van de verzekering een extra handtekening moeten zetten. Daaruit blijkt dat u een verzekering voor meerdere jaren wilt. Met de handtekening geeft u aan dat u weet dat zomaar opzeggen niet mogelijk is. Heeft u een verzekering voor langer dan een jaar afgesloten, dan kunt u deze niet zomaar opzeggen. U bent dan gebonden aan het contract. Als een meerjarige verzekering aan verlenging toe is, wordt de verzekering automatisch omgezet in een jaarcontract dat dagelijks opzegbaar is, met een opzegtermijn van maximaal een maand. U kunt uiteraard ook weer kiezen voor een meerjarig contract. Hiervoor moet u dan een extra handtekening zetten. Meestal eist de verzekeraar een opzegging per aangetekende brief. Deze eis gaat erg ver, maar doet u dat niet, dan heeft u weinig bewijs van uw opzegging in handen.

Tussentijds opzeggen
Meestal kunt u de verzekering tussentijds opzeggen als de verzekeraar zijn premies verhoogt of de polisvoorwaarden in uw nadeel verandert. Maar een premieverhoging uitsluitend op grond van de indexclausule is voor u niet

voldoende om tussentijds te kunnen opzeggen, net zo min als een hogere premie na een schade bij een autoverzekering of bij het bereiken van een bepaalde leeftijd bij een zorgverzekering.
Er zijn meer opzeggronden. In het nieuwe verzekeringsrecht is geregeld dat bij overlijden de erfgenamen binnen negen maanden de polis met een opzegtermijn van een maand kunnen opzeggen. Dit geldt overigens ook voor de verzekeraar. Bij veel verzekeraars kunt u ook opzeggen als een verzoek tot vergoeding van een schade is afgewezen. U kunt de verzekering dan binnen een maand na die afwijzing opzeggen. Ten slotte is samenwonen (waardoor u een verzekering niet meer nodig heeft) een veel geaccepteerde opzeggingsreden. Verder kunt u een opstalverzekering beëindigen bij verkoop van de woning. Of een autoverzekering als u de verzekerde auto van de hand heeft gedaan zonder deze te vervangen.
Als u tussentijds wilt opzeggen, moet u berichten over premieverhogingen of wijzigingen in de polisvoorwaarden goed in de gaten houden. Reageer in zo'n geval snel. Vaak moet dat binnen vier weken of nog sneller.

TIP

Vraag een bevestiging!
Als u zelf schriftelijk opzegt, tussentijds of aan het einde van de contractperiode, vraag dan altijd een bevestiging van uw opzegging. Bij bijvoorbeeld de autoverzekering is een royementsverklaring van groot belang in verband met het meenemen van uw korting naar een nieuwe verzekeraar.

Verzekeraar zegt op
Het kan ook zijn dat de verzekeraar opzegt. In hun polisvoorwaarden behouden verzekeraars zich vaak het recht voor het (meerjarige) contract voortijdig en eenzijdig te beëindigen. Zij kunnen u dan op elk moment royeren: per premievervaldatum, na een schadegeval of als u uw verplichtingen niet (tijdig) nakomt. De termijnen die zij in acht moeten nemen, zijn soms zeer kort en vaak vermelden zij hun motieven niet. Maar de wet schrijft wel voor dat uit de vermelde opzeggronden moet blijken dat gebondenheid aan de overeenkomst niet meer kan worden gevergd van de verzekeraar.
Na het aangezegde royement kunt u de verzekeraar een brief schrijven. Daarin kunt u hem vragen waarom hij u heeft geroyeerd. Als u het met zijn motief oneens bent, kunt u protesteren en hem verzoeken het royement te heroverwegen. Vraag bovendien, mocht hij negatief besluiten, of hij u tijd

wil geven om een andere maatschappij te zoeken. Want in de tussentijd wilt u uiteraard niet onverzekerd zijn. Overigens is het altijd beter zelf op te zeggen dan eruit te worden gegooid, dat maakt uw kans op acceptatie bij een nieuwe verzekeraar namelijk een stuk groter.

8.2e Overstappen

Is het ingevulde aanvraagformulier door uzelf of de tussenpersoon opgestuurd, dan bent u daarmee nog niet verzekerd. Dat zal pas het geval zijn als de verzekeraar u heeft willen accepteren. En daartoe is hij in de regel niet verplicht, omdat men in ons recht uitgaat van het beginsel van contractvrijheid. Een verzekeraar kan dus besluiten u niet te accepteren, of met beperkende voorwaarden of uitsluitingen, of alleen tegen een hogere premie. Overigens voert de ene verzekeringsmaatschappij een strenger acceptatiebeleid dan de andere, zodat u na een afwijzing best kunt proberen alsnog elders een verzekering af te sluiten.
Een afwijzing kan een nieuwe aanvraag elders nadelig beïnvloeden, omdat u te maken kunt krijgen met het onderlinge meldingssysteem van de verzekeraars. Het is daarom altijd zinvol de verzekeraar een brief te schrijven als hij u zonder een behoorlijke opgaaf van redenen niet (onder de normale voorwaarden) heeft geaccepteerd. Met het antwoord zult u de juistheid van zijn besluit kunnen controleren en beter beslagen ten ijs komen bij eventuele volgende maatschappijen.
Bent u eenmaal geaccepteerd, dan krijgt u de polis toegestuurd. Dat kan even duren en daarom doet u er goed aan een bewijs van voorlopige dekking te vragen. Met alleen een mondelinge bevestiging kunt u namelijk, mocht u in de tussentijd schade oplopen, achter het net vissen. Het bewijs van voorlopige dekking kunt u al een dag nadat de maatschappij (door de tussenpersoon) op de hoogte is gesteld, in uw bezit hebben. Er zijn ook tussenpersonen die bevoegd zijn een voorlopige dekking te verlenen.
Duurt het langer, dan kunt u de maatschappij een aangetekende brief sturen waarin u verwijst naar de toezegging van de tussenpersoon of de verzekeraar. Bewaar een kopie en het bewijs van terpostbezorging goed.

8.2f Fout in polis

De polis is het eigenlijke bewijs van de verzekering. Deze bestaat uit een polisblad met de voornaamste gegevens en daarnaast uit de voorwaarden van de verzekering. Daarin heeft de verzekeraar eenzijdig geregeld welke rechten en plichten u en hijzelf hebben. Op de inhoud van zo'n standaard-

contract kunt u nauwelijks invloed uitoefenen. U heeft slechts de keus de polis wel of niet af te sluiten op de voorwaarden van de verzekeraar.
Lees de polis en de voorwaarden goed door en controleer of alles klopt. Let er bij de voorwaarden op of er opmerkingen bij zijn getypt of wordt verwezen naar een apart clausuleblad. Denkt u dat met deze extra voorwaarden uw rechten worden beperkt, overleg dan met uw tussenpersoon of neem contact op met de verzekeraar.
Is er reden om te protesteren, doe dat dan direct. Vermeld in uw brief tegen welke bepaling u bezwaar heeft, welke redenen u daarvoor heeft en hoe u de polis gecorrigeerd wilt zien. Vraag direct om een gecorrigeerde polis. Reclameert u pas over een onjuiste polis als u schade heeft, dan heeft u meestal uw rechten verspeeld.
Verzekeraars kunnen ook bij het bepalen van de premie fouten maken. Zo kan de inboedelverzekeraar u in een te dure regio hebben ingedeeld, de autoverzekeraar kan u een te lage bonuskorting geven bij een lange schadevrije periode en de ziektekostenverzekeraar kan een te hoge leeftijdstoeslag berekenen. Mocht u vinden dat ten onrechte een te hoge premie in rekening is gebracht, dan kunt u daartegen protesteren. De premie niet betalen is riskant. U kunt beter toch maar 'onder protest' het gehele bedrag betalen om niet onverzekerd te raken en vervolgens het betwiste deel terugvragen.

TIP

Onderhandeltruc

Verzekeraars wijzen regelmatig een claim af, maar daar hoeft u zich niet bij neer te leggen. De hoogleraar Marc Hendrikse stelt in zijn oratie van 28 april 2011 dat eigen schuld van de verzekerde geen geldige reden is een uitkering van de hand te wijzen. Als er meer oorzaken voor de schade zijn aan te wijzen, is volgens Hendrikse een gedeeltelijke schadevergoeding op zijn plaats. Ook kunt u nog eens in de polisvoorwaarden kijken. U staat namelijk sterk als u op grond van de gebruikte formulering denkt in aanmerking te komen voor schadeloosstelling. In het verzekeringsrecht heet dit het contraproferentembeginsel. Bij een vage formulering in de voorwaarden krijgt de uitleg voorrang die voor de verzekerde het gunstigst is (artikel 6:238 lid 2 van Burgerlijk Wetboek). De lezing van de consument moet wel redelijk zijn. De Consumentenbond gebruikt dit beginsel ook bij onderzoeken naar verzekeringen, waardoor we er soms in slagen een voor consumenten gunstige uitleg vast te pinnen.

8.2g Schade

Schade voorkomen

Het is een open deur misschien, maar als verzekerde moet u natuurlijk allereerst schade voorkomen en beperken. De verzekeraar kan immers een schadevergoeding weigeren of beperken, bijvoorbeeld als hij u nalatigheid kan verwijten: uw fiets stond niet op slot, uw kostbare fototoestel lag in de auto enzovoort. In het laatste geval kan de verzekeraar een vergoeding weigeren omdat hij veronderstelt dat het algemeen bekend is dat diefstal uit (geparkeerde) auto's op grote schaal plaatsvindt. Vanwege de vele diefstallen uit auto's wordt deze schade in de polisvoorwaarden meestal uitdrukkelijk uitgesloten van dekking. Dit geldt vooral voor kostbaarheden, geld en geluids-, foto- en videoapparatuur. De reis-, inboedel- en kostbaarhedenverzekeraars zijn tegenwoordig alleen onder bepaalde voorwaarden bereid diefstal uit een geparkeerde auto te vergoeden.
De verzekeraars kunnen ook een beroep doen op 'onvoldoende zorg', bijvoorbeeld bij onvoldoende afgesloten pleziervaartuigen of onvoldoende maatregelen ter voorkoming van vorstschade aan boten of huizen.
Ga daarom zorgvuldig om met uw spullen en met uzelf. Neem geen onnodige risico's en lok geen diefstal of schade uit door nalatigheid. Zorg er bovendien voor dat uw (kostbare) eigendommen geregistreerd zijn. Dat werkt makkelijker bij diefstal, zowel voor de verzekeraar als voor de politie. Maak foto's of dia's en registreer alles op een lijst, vooral het merk, het type- en serienummer en uiterlijke bijzonderheden. Bewaar de aankoopnota's en garantiebewijzen van duurdere spullen, ook na de garantieperiode.

TIP

Schakel de tussenpersoon in

Heeft u de verzekering via een tussenpersoon afgesloten? Schakel hem dan in. Hij behoort u bij schade te helpen, onder meer bij het invullen van schadeformulieren.

Schade vergoeden

Als u ondanks de voorzorgsmaatregelen toch schade heeft geleden, wilt u die van de verzekering vergoed hebben. Wat moet u dan zelf doen en wat kunt u van uw verzekeraar verwachten? Lees allereerst de verzekeringspolis om na te gaan of de schade gedekt is en aan welke formaliteiten u moet

voldoen. Veel verzekeraars verplichten u binnen driemaal 24 uur de schade te melden en bij diefstal aangifte te doen bij de politie.
Simpelweg schadevergoeding eisen kunt u niet. U moet kunnen bewijzen dat u schade leed door een voorval waartegen de polis dekking bood, dat er rechtstreeks verband bestond tussen het voorval en de schade, dat u het beschadigde goed in bezit had, dat de schade echt zo groot was als u aangaf enzovoort. Bij diefstal of verlies moet u het bezit en de waarde van de verloren voorwerpen aannemelijk kunnen maken, bijvoorbeeld met aankoopnota's en garantiebewijzen. Ook kunt u denken aan giro- of bankafschriften, reparatienota's, taxatierapporten, foto's waarop de verloren voorwerpen afgebeeld zijn of getuigenverklaringen.
Wilt u aanspraak maken op vergoeding, dan is het belangrijk dat de schade onder de dekking valt die in de polisvoorwaarden staat vermeld. Het is gebruikelijk dat daarin de risico's worden opgesomd die onder de dekking vallen, en ook de uitsluitingen. Als een vorm van schade niet uitdrukkelijk in de dekking is inbegrepen of onder de uitsluitingen is genoemd, kunt u geen aanspraak maken op vergoeding. Daarnaast zijn er wettelijke uitsluitingen, bijvoorbeeld een eigen gebrek of grove schuld van de verzekerde.
Vervolgens zult u het met de verzekeraar eens moeten worden over de hoogte van de schade die u vergoed krijgt. Bij een schade van enige omvang zal de verzekeraar vaak een expert inschakelen, die moet rapporteren over de oorzaak en de omvang van de schade. Probeer zo goed mogelijk te voldoen aan verzoeken om inlichtingen van de verzekeraar of de expert.
Als u het oneens bent met de expert, schroom dan niet om zelf een contra-expert in de arm te nemen. De kosten daarvan worden soms door de maatschappij betaald. Het kan echter moeilijk zijn een contra-expert te vinden. Probeer daarom eerst met uw verzekeraar en zijn expert tot overeenstemming te komen, vooral bij een beperkte schade.
Bij een forse schade met ingrijpende gevolgen, zoals ernstig letsel of overlijden, gaat het soms om grote belangen. U kunt dan het best de in par. 8.3 beschreven klachtenprocedure volgen. Bent u in het bezit van een rechts-

TIP

Vraag een voorschot

Vraag als de afhandeling lang gaat duren om een uitkering bij wijze van voorschot van de onbetwiste schade en maak aanspraak op de wettelijke rente.

bijstandsverzekering, dan kunt u natuurlijk ook daarop een beroep doen. Overigens kan een verzekeraar uw eis tot schadevergoeding afwijzen als hij zich op een wettelijke of contractuele uitsluiting kan beroepen.

Waarde in de polis

Hoe men de schade vaststelt en wat u moet bewijzen, hangt ook af van uw polis. Er bestaan drie soorten polissen: de open polis, de polis met taxatie door partijen en de polis met taxatie door deskundige(n).

De open polis is de gangbaarste vorm; een bekend voorbeeld is de inboedelverzekering. De polis bevat een verzekerde som. De waarde van de verzekerde goederen afzonderlijk is daarin niet vastgelegd, maar wel hoe die waarde na een schade moet worden bepaald, namelijk door onafhankelijke schade-experts. Deze schadevaststelling is bindend; hierover kunt u zich dus niet meer tot de rechter wenden.

Bij de door partijen getaxeerde polis stelt u samen met uw verzekeraar de waarde van de verzekerde spullen vast, waarna deze in de polis wordt vermeld; een bekend voorbeeld is de kostbaarhedenverzekering. In het taxatierapport moet het getaxeerde goed zo nauwkeurig mogelijk worden omschreven, evenals het gekozen waardebegrip en de schatting van de waarde. Deze waardebepaling geeft u echter geen absolute zekerheid, want uw verzekeraar mag bij schade aan de hoogte van de taxatie tornen. Hij moet dan wel bewijzen dat de dekking echt veel te hoog was.

Bij de door deskundigen getaxeerde polis, met 'voortaxatie', bestaat vooraf absolute zekerheid over de waarde die aan de verzekerde goederen wordt toegekend en dus over de hoogte van een schadevergoeding. Alleen bij bedrog kan de verzekeraar eraan tornen. Vooral voor duurdere, diefstalgevoelige spullen, zoals sieraden en schilderijen, is voortaxatie te overwegen.

TIP

Check acceptatie van de taxatie

Stel van tevoren vast dat de verzekeraar het rapport van uw handelaar of taxateur als voortaxatie zal aanvaarden. Mogelijk zal hij rapporten weigeren van taxateurs met wie hij slechte ervaringen heeft.

Nieuwwaarde en dagwaarde

Wat krijgt u nu uiteindelijk vergoed? Bedenk dat u er bij een schade niet beter op mag worden. De verzekering keert in beginsel uit op basis van de waarde die het object vlak voor de beschadiging had. De schade-uitkering is dus meestal het verschil tussen de waarde voor en na de schade. Als herstel mogelijk is, kunt u op kosten van de verzekeraar uw spullen laten repareren. Als dat niet kan of niet meer lonend is, keert de verzekeraar de waarde voor de schade uit, waarvoor u (vervangende) spullen tegen de huidige prijzen kunt aanschaffen. Inboedelverzekeraars vergoeden meestal op basis van de nieuwwaarde. Voor spullen die bij schade nog slechts 40% of minder van de nieuwwaarde waard waren, hoeft de verzekeraar echter slechts de dagwaarde uit te keren. Voor antiek en dergelijke geldt de zeldzaamheidswaarde. De opstalverzekering vergoedt herbouw- of reparatiekosten. Autoverzekeringen vergoeden de eerste jaren de nieuwwaarde minus de afschrijving (bij total loss), daarna de dagwaarde of de reparatiekosten als herstel nog mogelijk is. Een aansprakelijkheidsverzekering gaat altijd uit van de dagwaarde.

Traagheid en vergoeding
Loopt uw verzekering via een tussenpersoon en bent u ontevreden over de snelheid van de afwikkeling? Vraag hem dan druk uit te oefenen op uw verzekeraar. Zo nodig kunt u hierover ook direct een brief aan de verzekeraar schrijven, waarin u hem sommeert de vergoeding binnen 14 dagen over te maken. U kunt in deze brief alvast wettelijke rente eisen en eventueel dreigen met verdere stappen die u gaat ondernemen. Als over een deel van de schade-uitkering geen verschil van mening bestaat, kunt u een voorschot vragen ter hoogte van het onbetwiste deel. U kunt zo'n brief ook gebruiken voor het aanmanen van de maatschappij van de tegenpartij.

TIP

Meer informatie
Op de site van de Consumentenbond en op www.allesoververzekeren.nl vindt u nog veel meer informatie over verzekeren.

8.3 Klagen

Als u trouw premie heeft betaald en een schadegeval krijgt, zal de verzekeringsmaatschappij meestal uitbetalen, mits de schade door de verzekering wordt gedekt. Maar wat als uw schadegeval volgens u niet eerlijk is behandeld? Waar moet u dan naartoe met uw klacht?

Controleer eerst uw polis nog eens. Misschien wordt uw claim inderdaad niet of maar ten dele gedekt. Maar houdt u nog steeds vragen, schrijf dan rechtstreeks naar de verzekeraar (of naar de tussenpersoon, als u die heeft). Vraag op welke polisvoorwaarden en ander materiaal hij zich baseert, vraag inzage in rapporten en dring aan op een gemotiveerde, schriftelijke reactie. Bij een geschil met uw verzekeraar moet u de volgende procedure volgen.

8.3a Er onderling uit komen

Kijk in de polisvoorwaarden of hierin een geschillenregeling is opgenomen. In dat geval volgt u deze. Indien er geen regeling is opgenomen, handelt u als volgt. Dien uw klacht schriftelijk in bij uw verzekeraar en neem in uw brief een redelijke termijn op waarin u antwoord verwacht. Maak kopieën van uw correspondentie.

8.3b Verdere stappen

Mocht u er niet in slagen samen met uw verzekeraar een oplossing te vinden, dan zijn er verschillende instellingen die u kunt benaderen met uw klacht. Voor klachten over zorgverzekeringen kunt u terecht bij de Stichting Klachten en Geschillen Zorgverzekeringen (SKGZ; zie Adressen). Klachten over schade-, levens- en natura-uitvaartverzekeringen kunt u voorleggen aan het Kifid (zie par. 1.2d). Heeft u behoefte aan voorlichting, dan kunt u telefonisch terecht bij de Toezichtslijn van DNB en de AFM (zie Adressen).

Stichting Klachten en Geschillen Zorgverzekeringen
De SKGZ is een onafhankelijke en onpartijdige organisatie die helpt bij problemen tussen klanten en zorgverzekeraars. Alle zorgverzekeraars in Nederland zijn bij de SKGZ aangesloten en u kunt er als klant terecht met klachten over de basisverzekering en de aanvullende verzekering.
Onder de SKGZ vallen de Ombudsman Zorgverzekeringen en de Geschillencommissie Zorgverzekeringen. Eerst zal de Ombudsman Zorgverzekeringen bemiddelen tussen u en de zorgverzekeraar. Is dit niet afdoende, dan wordt uw klacht voorgelegd aan de Geschillencommissie Zorgverzekeringen. Deze geschillencommissie is onafhankelijk en doet uitspraak in de vorm van een bindend advies. U betaalt €37 entreegeld. De geschillencommissie kan besluiten dat u dit entreegeld terugkrijgt. Als u het niet eens bent met het bindende advies van de geschillencommissie, kunt u dit *ter toetsing* aan de rechter voorleggen.

Eerst informatie?

Voordat u naar de SKGZ stapt, is het misschien handig eerst de Nederlandse Zorgautoriteit (de NZa; zie Adressen) te raadplegen. Zorgverzekeringen vallen namelijk onder het toezicht van de NZa. De NZa heeft een informatielijn waar u terechtkunt met vragen over (de uitvoering van) de Zorgverzekeringswet (Zvw), de Algemene Wet Bijzondere Ziektekosten (AWBZ) en de Wet marktordening gezondheidszorg (WMG). Uw vragen kunnen gaan over de volgende onderwerpen:

- tarieven van zorgaanbieders (zoals huisartsen, tandartsen en ziekenhuizen);
- rekeningen van zorgaanbieders;
- de rechtmatigheid van declaraties;
- de acceptatieplicht door zorgverzekeraars;
- de informatievoorziening door zorgverzekeraars;
- de rechtmatigheid van de polisvoorwaarden.

Bij de NZa kunt u overigens ook melding maken van mogelijke overtredingen van zorgverzekeraars, -kantoren of -aanbieders op de Wet marktordening gezondheidszorg (Wmg), Algemene wet bijzondere ziektekosten (AWBZ) en Zorgverzekeringswet (Zvw). Zie het Meldpunt op de site van de NZa. De NZa bewaakt het algemeen consumentenbelang, maar bemiddelt niet in individuele conflicten tussen consumenten en zorgaanbieders of -verzekeraars en ook niet tussen zorgaanbieders en -verzekeraars onderling.

Verzekeraar failliet?

DNB controleert of financiële ondernemingen hun financiële verplichtingen nakomen. Als een verzekeraar failliet dreigt te gaan, probeert DNB de verzekeringsportefeuille over te laten dragen aan een andere, financieel gezonde verzekeringsmaatschappij.
Voor levensverzekeraars heeft DNB in overleg met het Verbond van Verzekeraars een opvangregeling ontworpen, die erop gericht is de verzekeringsportefeuille over te dragen voordat een verzekeraar failliet wordt verklaard. Faillissement betekent meestal wel een korting van de rechten van polishouders.

9 FINANCIEEL DIENSTVERLENERS

Nuttige informatie over uw rechten tegenover tussenpersonen, bemiddelaars, makelaars, advocaten enzovoort.

Onder financieel dienstverleners vallen veel verschillende bedrijven en personen. Allereerst zijn dat de bedrijven die een financieel product aanbieden, zoals banken en verzekeraars. Ze bieden die producten deels rechtstreeks aan de klant aan, maar vaak ook via een tussenpersoon. Daarnaast zijn er zelfstandige financieel bemiddelaars en financieel adviseurs die alleen adviseren en geen product verkopen. Maar u kunt ook met een makelaar, notaris of advocaat te maken krijgen.

9.1 Hoe kies ik een goede adviseur?

Over de regels die voor banken, verzekeraars enzovoort gelden, heeft u in de betreffende hoofdstukken al veel kunnen lezen. Hier gaan we daarom vooral in op de rol van financieel adviseurs. Aan welke eisen horen zij – mede gesteld door de wet – te voldoen? Hoe kunt u onderscheid maken tussen de goede en minder bekwame adviseurs?

9.1a Zorgvuldig advies

Een adviseur of een bemiddelaar heeft een extra uitgebreide zorgplicht. Op basis hiervan hoort hij u zorgvuldig advies te geven. Wat dat inhoudt, is onder meer uitgebreid te lezen op de website van de Autoriteit Financiële Markten (AFM). Hier noemen we kort de belangrijkste aspecten.
Een zorgvuldig advies houdt onder andere in dat de adviseur u tijdens de kennismaking vertelt hoe hij werkt en wat het kost, en wat u wel of niet van hem kunt verwachten. De adviseur zal proberen een helder beeld te krijgen van het advies dat u wilt. Ook zal hij globaal nagaan wat uw financiële positie is. U moet hem hiervoor natuurlijk wel juiste en volledige informatie geven.
Aan het einde van de kennismaking moet u het volgende weten:

- Hoe en hoeveel gaat u de adviseur betalen?
- Adviseert de adviseur in meerdere soorten producten en/of aanbieders? Zo nee, realiseert u zich dan goed dat hij niet altijd het goedkoopste of beste product hoeft aan te raden.
- Welke informatie moet u hem geven en wat moet u wellicht nog meer doen?

Behalve deze kennismakingsprocedure, kenmerkt een zorgvuldig advies zich ook door de hulp die de adviseur na het afsluiten biedt, via het volgen van de vermogensopbouw en evaluatie van de haalbaarheid van de doelstelling. Als het goed is, neemt hij regelmatig contact met u op om te controleren of uw doelstellingen en situatie nog hetzelfde zijn. Op uw beurt moet u natuurlijk ook zelf de adviseur op de hoogte brengen van belangrijke veranderingen in uw persoonlijke situatie.
De AFM bevordert zorgvuldige dienstverlening onder andere door in leidraden voorbeelden te geven van wat zorgvuldige financiële dienstverlening is. In december 2009 zijn twee nieuwe leidraden gepubliceerd over zorgvuldig

Dienstverleningsdocument

Adviseurs en bemiddelaars in complexe producten of hypothecaire kredieten zijn verplicht hun klanten een dienstverleningsdocument te geven. Hierin moet informatie staan over de aard en reikwijdte van de dienstverlening en de beloning die hier tegenover staat. Tegenwoordig moeten ook aanbieders die zonder tussenkomst van adviseurs hun eigen financiële producten verkopen meer informatie aan de klant geven over de aard en reikwijdte van de dienstverlening die de consument van hen kan verwachten.
Er worden geen vormvereisten aan het dienstverleningsdocument gesteld, maar in ieder geval moet de wettelijk verplichte informatie erin staan. De AFM heeft hiertoe een 'Leidraad dienstverleningsdocument' opgesteld.
De minister van Financiën heeft de wettelijke eisen voor de informatieverstrekking aangescherpt. Met ingang van 1 januari 2013 moet het dienstverleningsdocument gestandaardiseerd zijn, zodat het voor klanten herkenbaar wordt. Ook moeten aanbieders die hun producten rechtstreeks aanbieden het dienstverleningsdocument dan gebruiken.

adviseren over vermogensopbouw: een voor financieel dienstverleners en een voor beleggingsondernemingen, zoals vermogensbeheerders of bemiddelaars in aandelen. In de leidraden staan ook belangrijke punten voor u als consument. Kijk op de website van de AFM.

9.1b Check de vergunning

Alle financieel dienstverleners in ons land moeten een vergunning van de AFM hebben. Check dus altijd of de organisatie waar de adviseur voor werkt deze ook heeft. De AFM-vergunningen gelden voor beperkte onderdelen. Voor hypotheken is een andere vergunning nodig dan voor verzekeringen.
Bij het verlenen van vergunningen wordt onderscheid gemaakt tussen dienstverleners die adviseren wat voor uw situatie een goede oplossing is en dienstverleners die alleen een overeenkomst sluiten terwijl u zelf aangeeft welk product u wilt. Logischerwijs zijn de eisen voor adviserende dienstverleners strenger dan voor hun louter bemiddelende collega's. In het laatste geval speelt u immers zelf een grotere rol. Maar in principe doet een financieel dienstverlener aan advisering. Als hij alleen bemiddelt, moet hij dat vooraf uitdrukkelijk aangeven.
Om een vergunning te krijgen, toetst de AFM de financieel dienstverlener op de volgende wettelijke eisen:

- betrouwbaarheid;
- deskundigheid;
- financiële zekerheid;
- adequate en integere bedrijfsvoering;
- transparantie;
- zorgplicht.

Er zijn twee grote brancheorganisaties waarbij tussenpersonen zich kunnen aansluiten: de Vereniging van onafhankelijke financiële en assurantieadviseurs (NBVA; zie Adressen) en de Nederlandse vereniging van assurantieadviseurs en financiële dienstverleners (NVA; zie Adressen). Beide organisaties stellen eisen met betrekking tot vakbekwaamheid. Bovendien schrijven ze voor dat hun leden een aansprakelijkheidsverzekering hebben afgesloten die dekking biedt tegen schade door beroepsfouten. Overigens vindt de Consumentenbond dat een verzekeraar niet zou mogen samenwerken met een tussenpersoon zonder zo'n aansprakelijkheidsverzekering.

TIP

Drie belangrijke aandachtspunten

- Stel zo veel mogelijk vragen en sluit alleen financiële producten af die u begrijpt.
- Vraag om de Financiële Bijsluiter bij een complex financieel product (zie par. 4.1).
- Meld bij het Meldpunt Financiële Markten van de AFM wanneer u niet goed wordt geïnformeerd.

9.1c Kwaliteitskeurmerken

Er bestaan verschillende keurmerken op het gebied van financieel advies. Een hypotheekbemiddelaar dient in ieder geval het keurmerk Erkend Hypotheekadviseur te hebben (zie par. 5.2a).
Bij een financieel planner geeft een FFP- of CFP-certificering aan dat hij terdege is opgeleid. Op www.ffp.nl en www.fpanederland.net kunt u dit checken. Daarnaast is er het keurmerk Financiële Dienstverlening. Het stelt onder meer eisen aan de deskundigheid en de behandeling van de klant; zie www.kfdkeurmerk.nl. *Let op*: dit keurmerk is aan een kantoor gebonden en dus niet aan een adviseur.

9.1d Eigen waarneming

Ga ten slotte ook af op uw eigen waarneming. Bekijk bijvoorbeeld hoe de adviseur zijn informatie verzamelt. Vraagt hij uitgebreid door of komt hij direct met een product op de proppen?
Een goede adviseur vraagt in ieder geval naar:

- hoeveel u maximaal wilt betalen aan maandlasten;
- uw inkomen, uitgaven, schulden en vermogen;
- uw plannen voor de toekomst: misschien wilt u in de toekomst minder gaan werken of (eerder) met pensioen;
- of u stabiele maandlasten wilt of lasten die van maand tot maand variëren;
- hoeveel u af wilt en kunt lossen;
- het risico dat u bereid bent te nemen bij het aflossen van uw hypotheek. Een goede adviseur rekent de bruto- en nettokosten van een hypotheek niet alleen uit voor nu, maar ook voor over bijvoorbeeld 10, 20 en 30 jaar.

Verder controleert de adviseur altijd of u alles goed heeft begrepen, geeft hij antwoord op al uw vragen, verstrekt hij een adviesrapport als u daarom vraagt en vraagt hij een passende beloning. Hij hoort u gelijk na het eerste oriëntatiegesprek te vertellen hoe u hem moet betalen (zie par. 9.2). Dit kan via een uurtarief, een vast tarief, een abonnement of op provisiebasis.

Integer?

Erkende adviseurs staan genoemd in een register, van bijvoorbeeld DSI (Deskundigheid, Screening en Integriteit), FFP of FPSB. Maar dat geeft geen volledige garantie op integere adviseurs. Controleer in ieder geval altijd bij DSI of de adviseur waarmee u in zee wilt gaan niet geschorst is. Vraag hem ook of hij ooit geschorst is geweest – daar moet hij eerlijk antwoord op geven.

TIP

Tips voor een goede keus

- Ga bij meerdere verstrekkers of bemiddelaars langs. Op deze manier kunt u het advies en de beloning vergelijken.
- Vergelijk de kosten en provisie eens met die van een tussenpersoon die met andere banken en verzekeraars samenwerkt. Kijk niet alleen naar de verschillen in provisie, maar ook naar de kwaliteit van het advies. Een goed advies voor een relatief hoog tarief levert u uiteindelijk misschien wel meer op.
- Vraag aan een tussenpersoon hoeveel provisie hij krijgt op het product waarover hij adviseert. Een tussenpersoon moet u de exacte hoogte van zijn beloning (afsluit- en doorlopende provisie) vertellen als hij een complex product aan u verkoopt. Dit moet hij doen voordat de overeenkomst tot stand komt.
- Moet u voor het advies in de toekomst ook betalen of zit dat bij de huidige prijs inbegrepen?
- Probeer kritisch te zijn. Wat doet hij precies voor het geld? Kan het iets minder? Kunt u zelf informatie inwinnen, voorwerk doen en daarmee korting krijgen?

9.2 Kosten adviseur

Snel even een adviesje geven, een paar provisieslurpende polissen afsluiten en de buit is binnen. Vooral in de jaren 90 – toen het maximumtarief voor provisies werd afgeschaft – vond dit soort wanpraktijken regelmatig plaats. Van de hoogte van de beloning (provisie) die de adviseur kreeg, wist de klant niets. Dat heeft de afgelopen jaren tot grote teleurstellingen geleid, vooral bij verzekeringen en hypotheken die gekoppeld waren aan beleggingen. Samen met de negatieve beleggingsresultaten zorgden de verborgen kosten voor het wegsmelten van de tegoeden. Jarenlang sparen voor pensioen of de aflossing van de hypotheek bleek vaak een schamel, en soms zelfs negatief, resultaat op te leveren.

Als gevolg van alle affaires in de financiële wereld die zich in de afgelopen jaren voordeden, zijn de regels voor assurantietussenpersonen en verzekeraars steeds verder aangescherpt. De adviseur moet sinds 2009 vooraf duidelijkheid geven over de hoogte van de provisie. Die hoogte moet hij bij complexe financiële producten, zoals hypotheken, bepaalde levensverzekeringen en beleggingen, exact aangeven. Per 1 januari 2013 wordt het rekenen van provisie op diverse terreinen zelfs verboden; zie het kader 'Provisie verboden!'.

Het slechte imago van werken op provisiebasis heeft er daarnaast voor gezorgd dat er tegenwoordig andere manieren van belonen zijn ontstaan. Een nieuwe manier is bijvoorbeeld dat de adviseur zijn geld van de klant krijgt, en níet van de aanbieder van het product. Als de klant betaalt, is een adviseur niet meer geneigd een product te adviseren waarop hij de meeste provisie krijgt. Hij zal nu eerder bij het beste product uitkomen omdat zijn belang nu bij de klant ligt. In februari 2010 koos bijvoorbeeld het Verbond van Verzekeraars (de belangenbehartiger van verzekeraars) voor deze *Customer Agreed Remuneration* (CAR; zie par. 9.2b). In het Nederlands betekent dat zoiets als 'met klant overeengekomen beloning'.

TIP

Provisie verboden!

Met ingang van 2013 mogen tussenpersonen geen provisie meer ontvangen bij het afsluiten van complexe financiële producten, zoals hypotheken en levensverzekeringen. Dat geldt dan ook voor inkomensverzekeringen, waaronder betalingsbeschermers en arbeidsongeschiktheidsverzekeringen voor ondernemers, uitvaartproducten en dienstverlening onder het Nationaal Regime MiFID.

9.2a Provisie

De provisie is de beloning die een tussenpersoon ontvangt van een financiële instelling (zoals een bank) voor het bemiddelen voor zijn product. De kosten ervan zijn verwerkt in de prijs van het product. Er zijn drie soorten provisies: afsluitprovisies, doorlopende provisies en bonusprovisies (die komen boven op het salaris van de tussenpersoon als een bepaalde omzet wordt gehaald). Zoals u heeft kunnen lezen, zijn tussenpersonen bij complexe financiële producten verplicht om u – nog voordat u de overeenkomst sluit – inzicht te geven in de exacte hoogte van hun afsluitprovisie. Ook zijn bonusprovisies bij complexe financiële producten sinds 1 januari 2009 verboden.
Sinds 2009 stelt de wet verder dat provisies 'passend' moeten zijn. Ofwel: de vergoeding moet in verhouding staan tot het werk dat de tussenpersoon ervoor doet. In 2012 zal hier een wettelijke norm voor gaan gelden. Voor directe beloningen, waarbij de tussenpersoon tegen uurtarief of voor een vaste vergoeding werkt, geldt met ingang van deze datum een open norm. Deze open norm geeft de AFM de mogelijkheid op te treden als klanten excessieve beloningen krijgen gefactureerd die afbreuk doen aan het belang van de klant. De afspraak over beloning en tarief blijft primair een zaak tussen de klant en de adviseur/bemiddelaar. De klant zal zelf moeten bepalen of hij de in rekening gebrachte advieskosten redelijk vindt, gelet op de aard en omvang van de dienstverlening. De AFM kan pas ingrijpen als er sprake is van een kennelijk onredelijke vergoeding en kan dan pas sancties opleggen aan de adviseur of de bemiddelaar. De AFM kan geen excessieve vergoedingen terugvorderen.

TIP

Geen bonusprovisie meer

Bij schadeverzekeringen geldt sinds 1 januari 2012 een verbod op bonusprovisie. Daarnaast moet de financieel dienstverlener op verzoek bekendmaken wat zijn beloning is.

9.2b CAR-beloning

Een CAR-beloning van een adviseur hoort te verlopen via een uurtarief, een vaste eindvergoeding, een maand- of jaarabonnement of via een opslag in de prijs. Een opslag op de prijs lijkt op de ouderwetse provisie. Het verschil is echter wel dat de klant nu volgens de wettelijke regels moet weten hoeveel hij betaalt.

Er zitten ook risico's vast aan deze nieuwe manier van belonen. Bij een uurtarief bijvoorbeeld is de adviseur erbij gebaat veel uren te maken. Dat zou de kwaliteit van het advies weliswaar ten goede kunnen komen, maar dan kan de adviseur er ook meer tijd in steken dan nodig is. Bij een vast eindbedrag of abonnement weet de klant wel hoeveel hij betaalt.
Een nadeel van de CAR-beloning is de betaalbaarheid. Zeker voor financiele producten met lage kosten (bijvoorbeeld schadeverzekeringen) kan het nieuwe belonen ontmoedigend zijn. Mensen betalen namelijk naast de verzekeringspremie apart de rekening van de tussenpersoon. Daardoor krijgen ze – al dan niet terecht – snel het gevoel dat ze duurder uit zijn dan voorheen. Banken en verzekeraars die rechtstreeks aan consumenten verkopen, werken nog altijd niet met een uurtarief. Hun verkopers zijn in loondienst en de kosten hiervan zitten verwerkt in de prijs van hun verzekeringen of hypotheken. Aan tussenpersonen leveren zij die producten tegen een lagere prijs (zogenoemde nettoproducten).
Het is nauwelijks in te schatten of de klant beter uit is met een uurtarief of verrekening met provisies. Daarom heeft de Consumentenbond bezwaar tegen het volledig afschaffen van provisie. Als de consument bij het afsluiten van ieder product een rekening krijgt, zou advies voor kleine klanten weleens te duur kunnen worden.

9.2c Andere beloningssystemen

Naast provisies en CAR-beloningen bestaat er nog een derde mogelijkheid. Daarbij wordt een vaste vergoeding in de vorm van afsluitprovisie gecombineerd met een doorlopende provisie van de aanbieder. Het is handig voor de gemiddelde Nederlander die niet gewend is een uurtarief te betalen. Die houdt bij betaald advies namelijk de klok goed in de gaten en durft niet al te veel (tijdrovende) vragen te stellen. Een vaste *fee* is voor hem op dit moment ook nog niet bespreekbaar, want daarin zitten alle kosten verwerkt. Zo'n hoge rekening zou veel klanten afschrikken.
Een vierde beloningssysteem is het abonnement dat klanten bij een aantal tussenpersonen op een verzekeringspakket kunnen nemen. De provisie is dan verwijderd uit de premie van de verzekering, die daarmee flink lager wordt. Wie alleen een inboedel- en aansprakelijkheidsverzekering heeft, is zeker niet goedkoper uit met een abonnement. Zij kunnen er dan voor kiezen toch provisie te betalen.
DNB meldde enige tijd terug dat tussenpersonen een vergunning als verzekeraar nodig hebben wanneer zij uitsluitend op abonnementsbasis werken. De

Consumentenbond stelt vraagtekens bij deze vergunningplicht omdat die de keuzevrijheid voor de consument beperkt. Tegen abonnementsvormen heeft de Consumentenbond geen bezwaar, maar dan moet de consument er wel zelf voor hebben gekozen.

9.2d Praktijktest kosten tussenpersoon

'Ga uw hobby's alstublieft op andere slachtoffers botvieren', reageert een adviseur op onze vragenlijst, waarmee we inzicht proberen te krijgen in de beloning van tussenpersonen (zie de *Geldgids* van september/oktober 2011). 'Onze branche heeft al genoeg in de negatieve belangstelling gestaan', zegt een ander.

Tussenpersonen zijn er kennelijk nog altijd niet happig op om openheid van zaken te geven over hun verdiensten. De Consumentenbond benaderde 1400 tussenpersonen; slechts 154 speelden open kaart. Gelukkig waren er ook positieve reacties. Zo mailt een adviseur: 'Ik werk hier graag aan mee, omdat ik vind dat consumenten inzicht moeten hebben in de kosten. Anderzijds wordt het tijd dat de consument gaat snappen dat advies niet gratis kan zijn.' Hiermee slaat hij de spijker op de kop: gratis financieel advies bestaat niet. Maar als consument heb je er wel recht op te weten hoeveel je moet betalen en waarvoor.

We vroegen de tussenpersonen hoeveel tijd ze nodig denken te hebben voor een hypotheek van €500.000, waarvan de helft bankspaarhypotheek is en de helft aflossingsvrij, inclusief een overlijdensrisicoverzekering. Gemiddeld kwamen de 154 respondenten op 25 uur uit. De onderlinge verschillen zijn echter groot: de opgaven variëren van 4 tot 50 uur.

Tussenpersonen die tegen uurtarief werken, rekenen gemiddeld €122 per uur, waardoor de advieskosten gemiddeld neerkomen op €3050 (25 x €122). Tussenpersonen die tegen een vaste vergoeding adviseren, rekenen gemiddeld €2900. De 'provisieadviseurs' krijgen gemiddeld €3300 van de geldverstrekker waar zij de hypotheek onderbrengen. Het advies en de bemiddeling voor deze hypotheek kosten bij deze tussenpersonen dus rond de €3000. Vanwege de lage respons weten we niet of dit geldt voor de hele branche, maar het geeft wel een indicatie.

Een belangrijke kanttekening is dat we met deze test alleen inzoomen op de prijs van het advies. De kwaliteit is minstens zo belangrijk. Maakt een adviseur een uitgebreid financieel plan, dan is dat uiteraard duurder dan een 'eenvoudig' hypotheekadvies.

Eerlijke handel

Om eerlijke handel te bevorderen, geldt sinds 15 oktober 2008 de Wet oneerlijke handelspraktijken (Wet OHP). De wet verbiedt aanbieders van producten en diensten misleidende en agressieve verkooppraktijken toe te passen. Van misleiding is bijvoorbeeld sprake als er onjuiste of onvolledige informatie over een product wordt gegeven. Onder agressieve handelspraktijken wordt onder meer verstaan: te veel druk uitoefenen op een potentiële klant.
Ook staat in de Wet OHP een zwarte lijst met handelspraktijken die in ieder geval verboden zijn, bijvoorbeeld reclame maken zonder dat het voor consumenten duidelijk is dat het om reclame gaat. Veel handelspraktijken die in de Wet OHP verboden zijn, zijn ook al verboden op grond van de Wet financieel toezicht (Wft). Maar als de Wft niet van toepassing is, kan de AFM op basis van de Wet OHP alsnog ingrijpen. Zo zijn dienstverleners die participaties van meer dan €50.000 aanbieden vrijgesteld van de Wft, maar zijn ze wel gehouden aan de regels over oneerlijke handelspraktijken in de Wet OHP.
De toezichthouders van deze wet zijn de AFM en de Consumentenautoriteit. De AFM bekijkt financiële producten, de Consumentenautoriteit alle andere producten. Als u vindt dat u misleid of agressief benaderd bent door een financiële partij, meld dit dan aan de AFM.

9.3 Klagen

De notaris maakt een verkeerde akte op of er is nauwelijks iets over van het pensioen dat via de verzekeraar is belegd. Financiële missers kunnen honderden tot duizenden euro's kosten. Hoe verhaal je op een effectieve manier de schade op de tegenpartij? In de *Geldgids* van juni/juli 2010 staan allerlei tips waarmee u bij een klacht over een financieel dienstverlener uw gelijk kunt halen.

9.3a Laat u niet afschepen

Frans Seerden sluit zijn hypotheek bij ABN Amro over naar een andere bank. Later ontdekt hij vijf rekenfouten in de kosten die de bank hem in rekening heeft gebracht. De fouten zijn allemaal in het voordeel van de bank. Seerden krijgt €3390 terug, plus €350 aan coulancevergoeding.

Het heeft hem een een jaar gekost om zijn gelijk te halen. Vanaf het moment dat hij gaat klagen, wordt hij van het ene naar het andere kantoor doorverwezen. E-mails blijven onbeantwoord en medewerkers die hij aan de telefoon krijgt, zeggen hem niet te kunnen helpen of komen hun terugbelafspraken niet na. 'Achteraf denk ik dat ik de bank een officiële klachtbrief had moeten schrijven', zegt Seerden. 'Maar omdat ik zeker wilde weten dat mijn berekeningen klopten, bleef ik bellen en mailen met de bank. Wat me ook weerhield: met zo'n brief ga je het juridische traject in. Ik wilde er zelf uitkomen met de bank.'
De beste hulp krijgt Seerden uiteindelijk van de lokale vestiging van ABN Amro in zijn woonplaats. 'Mensen zijn eerder geneigd zich voor je in te spannen als ze je recht in de ogen hebben gekeken. Spreek je ze alleen telefonisch, dan voelen ze zich niet snel verantwoordelijk.'
Door veel te praten, te mailen en geduld te hebben, is Seerdens klacht opgelost, maar er zijn effectievere manieren om uw gelijk te halen bij een klacht over een financieel product of een dienst van een financieel aanbieder.

9.3b Leg de klacht voor

Leg de klacht altijd eerst voor aan de dienstverlener. Doe dit zo snel mogelijk. Leg duidelijk uit waarover u ontevreden bent. Wat waren uw verwachtingen van de aankoop? En wat heeft u gekregen? Blijf vooral vriendelijk. Dreigen, beledigen of boos worden, werkt meestal averechts. Het eerste contact met de dienstverlener kan zowel mondeling als per brief of e-mail. Een telefoontje of een gesprek op kantoor kan snel resultaat opleveren, maar soms is een officiële brief effectiever. Het voordeel van schrijven is dat u meteen begint met het opbouwen van een dossier.

Mondeling

Kiest u voor een gesprek, stel u dan neutraal en zakelijk op. Het zou zomaar kunnen dat de bank, verzekeraar of tussenpersoon zelf met een goede oplossing komt. Gebeurt dit niet, kom dan zelf met een concreet voorstel. Of stel een open vraag, zoals: 'Wat zou u voor mij kunnen doen?' Heeft u een naam van de persoon die het product heeft verkocht? Maak dan een afspraak met hem. Heeft u die niet en moet u bellen naar een algemeen nummer, vraag dan de naam van de medewerker die u aan de lijn krijgt. Het zal de bereidheid vergroten u van dienst te zijn.
Krijgt u de indruk dat de medewerker de klacht niet in behandeling kan nemen? Vraag dan of u iemand kunt spreken die dat wel kan. Soms is er een

speciaal team dat zich bezighoudt met klachten. Vraag in het uiterste geval om doorverbonden te worden met de leidinggevende.
Maak altijd aantekeningen. Schrijf op wanneer u gebeld heeft, wie u gesproken heeft en wat er is afgesproken. Deze aantekeningen kunnen later van pas komen, mocht de afhandeling van de klacht een slepende kwestie worden. Vraag altijd om een schriftelijke reactie. Zo voorkomt u dat u onverwacht gebeld wordt en slecht voorbereid een gesprek ingaat. Ook is een schriftelijke reactie welkom vanwege dossiervorming. Vraag naar het mailadres van de persoon die u gesproken heeft. Zet in de e-mail of hij uw mail voor akkoord beantwoordt. Met het e-mailprogramma Outlook kunt u (via 'opties') een bevestiging krijgen als het bericht gelezen is.

Schriftelijk
Omschrijf in uw brief aan de onderneming kort en helder wat de klacht is en wat u van de financiële onderneming verwacht. Financiële ondernemingen zijn verplicht een interne klachtenprocedure te hebben. Daarin staat wat u moet doen als u een klacht heeft, maar ook dat financiële ondernemingen een klacht binnen een redelijke termijn zorgvuldig horen af te handelen. Die klachtenprocedure vindt u in de algemene voorwaarden of in de overeenkomst van het financiële product, en soms ook op de website van de onderneming.
Stuur nooit in het wilde weg een klachtenbrief naar het eerste het beste adres dat u tegenkomt. Informeer eerst telefonisch of zoek op de website naar een naam van een persoon of afdeling die belast is met klachtafhandelingen. Verstuur een klacht dus bij voorkeur niet via een op de website van de dienstverlener aangeleverd contactformulier. U ontvangt hiervan in de meeste gevallen geen elektronisch afschrift of een bewijs van ontvangst. Een zelf verstuurde e-mail is nadien wel terug te lezen. Bovendien kunt u heel subtiel een cc toevoegen die is gericht aan de Consumentenbond of een andere partij die de alarmbellen doet rinkelen bij de ontvanger. Het beste is echter een aangetekende brief te versturen. Is het financiële belang groot of twijfelt u of de dienstverlener de brief wil ontvangen? Verstuur de aangetekende brief dan met ontvangstbevestiging.
Maak kopieën van alle correspondentie. Stuur in geen geval originele bewijzen mee. Stuur een kopie van uw brief naar het Meldpunt Financiële Markten van de AFM. U kunt dat anoniem doen, als u dat liever heeft. De AFM kan voor u niet bemiddelen of bepalen of de klacht gegrond is; daarvoor moet u naar het Kifid of de rechter. De AFM kan wel nagaan of een

financiële onderneming de regels heeft overtreden en, mits nodig, met de onderneming in gesprek gaan, een boete opleggen of de vergunning intrekken.

TIP

Tips voor een klachtenbrief

- Volg de klachtenprocedure van de onderneming. Die procedure is te vinden in de algemene voorwaarden of in de productovereenkomst. U kunt er ook naar vragen. Vaak staan de voorwaarden op de website van de onderneming. Let op eventuele termijnen waarbinnen u de klacht moet indienen.
- Draai er niet omheen. Geef in de eerste zin al aan waarover de klacht gaat. Omschrijf vervolgens concreet de inhoud van uw klacht. Vergeet niet te vermelden wat u verlangt van de tegenpartij. Doe een voorstel.
- Houd het zakelijk en concreet. Laat de emoties in uw brief niet de overhand krijgen. Houd de zinnen kort.
- Vraag om een schriftelijke reactie binnen een redelijke termijn; twee weken is gebruikelijk.
- Voorzie de brief van een datum en van uw contactgegevens, zoals adres, telefoonnummer(s) en e-mailadres.
- Stuur kopieën van belangrijke stukken als bijlage mee met uw brief. Bijvoorbeeld de offerte, overeenkomst of een contract. Bewaar originele papieren thuis.
- Maak een kopie van de brief voor uw eigen administratie.
- Heeft u hulp nodig bij het schrijven van een klachtenbrief? Op onze website staan voorbeeldbrieven: www.consumentenbond.nl/juridisch-advies/voorbeeldbrieven. U kunt ook gebruikmaken van de Rechtwijzer van de Raad voor Rechtsbijstand: www.geschillenboom.rvr.org/RvR/geschillenboom.

9.3c Win juridisch advies in

Wie onzeker is over zijn rechten en plichten, kan als lid terecht voor een persoonlijk advies bij de Consumentenbond, telefoonnummer (070) 445 45 45. Ook het Juridisch Loket kan informeren over rechten en plichten. Dit is een onafhankelijke, door de overheid gesteunde organisatie, waar iedere burger terechtkan voor gratis juridisch advies. Meer over de instanties waar u advies kunt inwinnen over uw rechten bij een klacht, leest u in par. 1.2a.

9.3d Stel de aanbieder in gebreke

Bent u er in eerste instantie niet uitgekomen met de dienstverlener? Stel hem dan per brief in gebreke vanwege niet-nagekomen afspraken. Leg uit wat u gedacht had te zullen krijgen, maar niet kreeg. Vervolgens geeft u aan welke oplossing u verwacht en binnen welke termijn. Deze termijn moet redelijk zijn. Binnen twee of drie weken moet de dienstverlener op zijn minst een begin maken met het verhelpen van de klacht. Ten slotte geeft u aan dat u de ontstane schade op hem zult verhalen als hij zijn afspraken niet nakomt binnen de aangegeven termijn. Natuurlijk moet u van tevoren wel eerst even contact opnemen met de partij die u noemt in de brief.

Voor de eventuele schade (bijvoorbeeld vanwege een lijfrente die allang uitgekeerd had moeten worden) kunt u ook nog 'wettelijke rente' in rekening brengen. Voor consumenten bedraagt die sinds 1 juli 2011 4% op jaarbasis. Geef ook aan welke vervolgstappen u gaat ondernemen als de klacht niet wordt opgelost, bijvoorbeeld het inschakelen van de geschillencommissie. Desnoods meldt u dat u het contract eenzijdig ontbindt, mocht dit een oplossing zijn.

9.3e Gebruik juridische termen

Het kan soms handig zijn hier en daar een juridische term te laten vallen in een telefoongesprek of brief. Maar het kan ook tegen u werken als het dreigend overkomt en daardoor de verhouding wordt verstoord. In een eerste gesprek kunt u daarom beter niet al te gretig strooien met dit soort termen. Gebruik in elk geval geen termen die u zelf niet begrijpt.

U mag bijvoorbeeld financieel dienstverleners aanspreken op hun zorgplicht (zie par. 9.1a), maar schrijf niet zomaar dat de bank zijn zorgplicht niet is nagekomen. Dit is voor de gemiddelde consument moeilijk zelf te bepalen. Zo heeft een adviseur/bemiddelaar een bredere zorgplicht dan een financiële onderneming en hangt de zorgplicht ook af van de overeenkomst die de klant is aangegaan. Hoe dat in de praktijk eruit moet zien, bepaalt de toezichthouder of de rechter.

9.3f Zoek het hogerop

Heeft u geen reactie ontvangen op uw klacht binnen een redelijke termijn? Of is de klacht niet naar tevredenheid afgehandeld? Dan kunt u de klacht voorleggen aan een geschillencommissie of klachteninstituut.

Bij welke instantie u over financiële diensten kunt klagen, is te zien in de tabel op de volgende pagina. Een klacht over een tussenpersoon, vermogensbeheerder, bank of verzekeraar kunt u bijvoorbeeld indienen bij het Klachteninstituut Financiële Dienstverlening (Kifid). Sinds 1 april 2007 zijn deze financiële aanbieders verplicht zich hierbij aan te sluiten. Maar u doet er goed aan te controleren of uw dienstverlener deze plicht is nagekomen. Dit kan via het openbaar register van het Kifid dat te raadplegen is via de website www.kifid.nl/overkifid/kifid+register. In het uiterste geval kunt u naar de rechter stappen (zie par. 1.2d).

Bij welk klachtenloket kun je terecht?

Loket		Voor
Kifid www.kifid.nl	☞	• Bank • Verzekeraar • Tussenpersoon • Vermogensbeheerder
SKGZ www.skgz.nl	☞	• Zorgverzekeraar
Ombudsman Pensioenen www.ombudsmanpensioenen.nl	☞	• Pensioenfonds
Geschillencommissie Makelaardij www.degeschillencommissie.nl	☞	• Makelaar
KNB/Kamer van Toezicht www.notaris.nl	☞	• Notaris

9.4 Klagen: praktijkvoorbeelden

In de vorige paragraaf las u hoe en bij wie u het best een klacht kunt indienen. Aan de hand van opvallende uitspraken laten we u nu zien welke resultaten reeds ingediende klachten opleverden (zie de *Geldgids* van december 2010).

9.4a Haastig testament

Peter Jonker[5] heeft last van beginnende dementie op het moment dat hij zijn testament wijzigt en een vriend als erfgenaam aanwijst. Deze vriend zit op verzoek van Jonker continu bij de voorbespreking met de notaris. De Kamer van Toezicht van de Haagse rechtbank vindt dat Jonker hierdoor niet in vrijheid zijn wil heeft kunnen tonen en concludeert in de zomer van 2011

5 *Gefingeerde naam.*

dat de notaris in elk geval voor het passeren van het testament de klant even onder vier ogen had moeten spreken en desnoods een tweede voorbespreking had moeten inlassen (zaak YCO 486).
Iedereen die een dienst aanbiedt, dus ook een notaris, hoort volgens artikel 7:401 van het Burgerlijk Wetboek de zorg van een goede opdrachtnemer in acht te nemen. Een notaris heeft dus een zorgplicht. Maakt hij een fout of gaat hij bij een cliënt onzorgvuldig te werk, dan kan de zaak worden voorgelegd aan de Kamer van Toezicht van de rechtbank in de woonplaats van de notaris. Dat geldt ook als een notaris niet specifiek heeft gewezen op de risico's die aan een bepaalde rechtshandeling kleven. Stel, je bent getrouwd op huwelijkse voorwaarden en laat die later omzetten naar gemeenschap van goederen. De notaris moet er dan op wijzen dat in het laatste geval niet alleen het vermogen wordt gedeeld, maar ook de schulden. Begint de ene partner een zaak en gaat die failliet, dan kunnen de twee de notaris aanspreken als hij voor de wijziging van het huwelijk niet voldoende heeft gewaarschuwd voor de gevolgen. Voordat een klacht kan worden voorgelegd aan de Kamer van Toezicht, moet die eerst zijn voorgelegd aan de notaris zelf. Ook moet bemiddeling door de Koninklijke Notariële Beroepsorganisatie (KNB) zijn mislukt. De Kamer van Toezicht kan een notaris alleen op de vingers tikken en hem in het uiterste geval uit zijn ambt zetten. De notaris van Jonker is ervan afgekomen met een waarschuwing. Voor een schadevergoeding kan de familie van Jonker nog naar de rechtbank stappen.

9.4b Verplicht informeren

Op grond van de zorgplicht zou je overigens verwachten dat een notaris een klant ook moet waarschuwen als zijn testament door een wetswijziging niet meer de uitwerking heeft waarvoor het ooit is opgemaakt. Maar zo ver gaat de zorgplicht van de notaris niet. U moet zelf wetswijzigingen in de gaten houden en zo nodig zelf aan de bel trekken bij de notaris. Mede daarom is het slim een testament eens in de vijf jaar te laten nakijken. De meeste notarissen brengen ook nieuwsbrieven uit waarop klanten zich gratis kunnen abonneren.
Assurantietussenpersonen, banken en verzekeraars moeten hun klanten wél informeren over wetswijzigingen. In de Wet op het financieel toezicht (Wft) die in januari 2007 is ingevoerd, is die verplichting zwart-op-wit gezet. Een situatie waarin een tussenpersoon een lijfrentepolis afsluit en later de klant niet informeert dat zijn premies niet meer aftrekbaar zijn, zou nu niet onbestraft blijven. Voor 2007 was dit wel zo. De tussenpersoon heeft nu echter

een zorgplicht gedurende de hele looptijd van een financieel product. Hij is verplicht zijn klant te informeren over wijzigingen die gevolgen kunnen hebben voor de producten en diensten die zijn afgesloten.

9.4c Risico's voor adviseur

Sinds 2007 moeten financieel dienstverleners ook een klantprofiel opstellen bij complexe producten. Hieronder valt bijvoorbeeld een beleggingshypotheek, maar een overlijdens- of arbeidsongeschiktheidsverzekering weer niet. Bij het klantprofiel moet een risicoprofiel worden opgemaakt. Aan de hand van een vragenlijst toetst de adviseur hoeveel risico zijn klant kan en wil lopen. Gebeurt dit niet of is het geadviseerde product veel riskanter dan de klant denkt, dan kan deze de schade verhalen op de adviseur.
Een voorbeeld: een klant wil veilig beleggen om pensioen op te bouwen en krijgt bankobligaties van de Royal Bank of Scotland (RBS) geadviseerd. Al heel snel na de aanschaf dalen die flink in waarde. Hierdoor gaat het pensioen van de man grotendeels in rook op. Hij stapt naar de Geschillencommissie van het Kifid. Die komt met de bindende uitspraak dat de adviseur de man niet goed heeft geïnformeerd over de risico's van de belegging (uitspraaknummer 52, 23 maart 2010). De beleggingsadviseur moet het geleden verlies vergoeden.

9.4d Profiel bijhouden

Na het opstellen van het klantprofiel moet de adviseur dit bijhouden. Bij verzekeringen betekent dit bijvoorbeeld dat een tussenpersoon zelf regelmatig controleert of de polissen nog de gewenste dekkingen geven en dat hij zijn klant waarschuwt als dit niet zo is. De klant moet belangrijke veranderingen in zijn persoonlijke situatie wel doorgeven aan de adviseur.
Houdt de adviseur het klantprofiel niet bij en lijdt de klant schade, dan kan een rechter onverbiddelijk zijn. Elise Zimmermans[6] woonhuisverzekering (opstalverzekering) loopt via een tussenpersoon. Op een dag brandt haar huis volledig af. Als ze de enorme ravage claimt bij haar verzekeraar, ontdekt ze tot haar schrik dat ze onderverzekerd is. De tussenpersoon heeft haar daar nooit voor gewaarschuwd. Ze stapt naar de rechter. Die oordeelt dat de tussenpersoon dit wel had moeten doen. Daar komt bij dat de herbouwwaarde van het huis na een renovatie is gestegen en de verzekerde waarde niet automatisch werd geïndexeerd. De tussenpersoon moet alle schade betalen die Zimmerman niet van de verzekeraar vergoed krijgt en nog gaat lijden, (zaak LJN: BL8047).

---

6 *Gefingeerde naam.*

9.4e Vergeten papieren

De tussenpersoon komt tegenwoordig ook niet zo makkelijk meer weg als een klant vergeet een inboedelwaardemeter voor zijn inboedelverzekering terug te sturen. Hij hoort in zo'n situatie een herinnering te sturen of te bellen om de klant op de onderverzekering te attenderen. Doet hij dat niet en lijdt de klant schade door onderverzekering, dan staat de klant behoorlijk sterk. Hetzelfde geldt als iemand vergeet een aanvraagformulier terug te sturen en hierdoor onverzekerd raakt. Pieter Hendriks[7] heeft vergeten zijn aanvraagformulier voor zijn nieuwe autoverzekering terug te sturen. De nieuwe verzekeraar heeft wel een voorlopige dekking afgegeven. Vervolgens zegt hij zijn oude polis op. Op een gegeven moment vervalt de voorlopige dekking. Hendriks veroorzaakt een botsing waarbij de tegenligger een schade oploopt van €25.000. De tussenpersoon moet van de rechter de volledige schade vergoeden. Hij had Hendriks namelijk moeten waarschuwen dat het aanvraagformulier nog niet binnen was en dat de voorlopige dekking ging vervallen. De tussenpersoon vond dat Hendriks had kunnen weten dat hij onverzekerd rondreed, maar daar had de rechter geen boodschap aan (LJN: BN1752).

Diplomaplicht adviseurs

Minister De Jager van Financiën wil dat alle financieel adviseurs beschikken over de juiste diploma's. Uit onderzoek blijkt dat ongeveer 20% van de adviseurs niet (volledig) voldoet aan de huidige vakbekwaamheidseisen. De eisen voor vakbekwaamheid en examens moeten ook omhoog. 'Als consument moet je ervan uit kunnen gaan dat degene die je adviseert ook echt verstand van zaken heeft', zegt De Jager. 'Het advies gaat vaak over ingrijpende zaken, zoals hypotheken en levensverzekeringen.' De minister pleit ook voor een centraal register waarin alle adviseurs worden opgenomen.

Klant centraal bij tussenpersonen

De Consumentenbond pleit er al lang voor dat financieel adviseurs de klant centraal stellen en het advies als uitgangspunt nemen in plaats van de te behalen provisies. Openheid over kosten en provisie draagt hieraan bij, maar ook duidelijkheid over wat je wel en niet mag verwachten van de adviseur.

---

7 *Gefingeerde naam.*

9.5 Klachten over de makelaar

In deze paragraaf gaan we specifiek in op klachten over de makelaar.

9.5a Slecht werk

Naast het beoordelen van de vraagprijs en het voeren van de onderhandelingen, mag de klant ervan uitgaan dat een aankoopmakelaar kijkt naar de staat van het huis en of er bouwtechnische gebreken zijn. Een goede aankoopmakelaar kijkt ook registers (onder andere bestemmingsplannen) na en meet oppervlakten op om te kijken of die kloppen met de informatie van de verkoper. Dit gebeurt bij voorkeur binnen drie werkdagen na het tekenen van het koopcontract (de wettelijke bedenktijd). U kunt dan nog zonder opgaaf van reden van de koop afzien.

Geschillencommissie Makelaardij

De belangrijkste onderwerpen die de commissie kan behandelen zijn:

- courtage;
- schadevergoeding;
- kwaliteit van de dienstverlening;
- intrekkingskosten.

Het klachtengeld bedraagt €75. De ondernemer moet u het klachtengeld (deels) vergoeden als u (deels) in het gelijk wordt gesteld.
De geschillencommissie bestaat uit leden die onder andere zijn voorgedragen door de Stichting Geschillencommissies voor Consumentenzaken (SGC), de Consumentenbond en de Vereniging Bemiddeling Onroerend Goed (VBO). Alle leden worden door het bestuur van de stichting benoemd en zijn volstrekt onafhankelijk en onpartijdig.
Tegen een uitspraak van de commissie is geen beroep mogelijk. Na de zitting is de discussie gesloten. De uitspraak van de geschillencommissie is bindend voor beide partijen, tenzij u of uw wederpartij binnen twee maanden na de verzenddatum van de uitspraak via dagvaarding van de andere partij aan de rechter vraagt om na te gaan of de uitspraak naar maatstaven van redelijkheid en billijkheid onaanvaardbaar is. Voor zo'n procedure is het doorgaans wel noodzakelijk dat u een advocaat inschakelt.

Wie achteraf toch klachten heeft, kan proberen die eerst met de makelaar zelf op te lossen. Komt u er samen niet uit, dan kunt u het geschil binnen drie maanden voorleggen aan de Geschillencommissie Makelaardij. De makelaar moet hiervoor wel aangesloten zijn bij de beroepsvereniging NVM, VBO of LMV. Deze geschillencommissie doet een bindende uitspraak. Zie het kader 'Geschillencommissie Makelaardij'.
Bent u tijdens het aan- of verkooptraject niet tevreden over uw makelaar, dan kunt u de opdracht kosteloos ontbinden. U moet wel kunnen aantonen dat de makelaar zijn werk niet goed heeft gedaan, bijvoorbeeld dat hij een aantal keren niet is komen opdagen op afspraken, informatie niet naar geïnteresseerden heeft gestuurd of verkeerde advertenties heeft geplaatst. De zaken liggen anders als u een opdracht intrekt omdat u het huis niet meer wilt (ver)kopen. Een makelaar mag dan wel kosten rekenen.

Rekening voor de makelaar

Veel mensen krijgen in hun leven een of meerdere keren te maken met een makelaar. Net als een assurantietussenpersoon neemt een makelaar een deel van de verantwoordelijkheden van zijn klant over; hij vertegenwoordigt de huizenkoper of -verkoper. Het verzwijgen van belangrijke informatie voor de klant kan grote gevolgen hebben voor een makelaar. Bijvoorbeeld: een aankoopmakelaar verzuimt zijn klant te melden dat er een tehuis voor moeilijk opvoedbare kinderen in de buurt ligt. De koper ontdekt dit zelf nadat hij het huis heeft gekocht. Hij is er niet blij mee, want het heeft een waardedrukkend effect op zijn woning. De schade is volgens een deskundige €32.500. De koper stapt naar de rechter en krijgt gelijk; de makelaar moet de schade vergoeden. De makelaar verweert zich dat overlast niet objectief te meten is en dat er genoeg potentiële kopers waren die zich wel bereid toonden om de vraagprijs te betalen. De rechter vindt de overlast van een opvanghuis van een andere orde dan de overlast die je normaal gesproken van buren hebt (zaak LJN BD8444).

9.5b Problemen voorkomen

In de *Geldgids* van juni 2011 staan de volgende tips om problemen met een makelaar te voorkomen zodat een klacht indienen niet eens nodig is.
Blijkt dat niet de aankoopmakelaar maar de verkopende makelaar of verkoper iets niet heeft gemeld wat hij wel wist, dan valt soms ook de schade

te verhalen. Een verkoper heeft namelijk een mededelingsplicht: hij hoort alle relevante zaken voor de koper te melden. Weet hij bijvoorbeeld dat er loden leidingen of linnen bedradingen in het huis zitten, dan moet hij dat vertellen. In de praktijk is de bewijslast in dit soort situaties lastig, vooral als de verkoper zegt dat hij het niet wist. Toon maar eens aan dat dit wel zo is! Daarnaast heeft de koper een onderzoeksplicht, al weegt die minder zwaar dan de mededelingsplicht. Wilt u gedoe bij het kopen van een huis zo veel mogelijk voorkomen, laat voor een oud huis dan een bouwkundig rapport opmaken en laat bij een nieuw huis een bouwkundige keuring uitvoeren.

Makelaars de maat genomen

Dienstverleners in de financiële sector zijn moeilijk te beoordelen. Mensen kunnen in hun omgeving vaak geen andere consumenten met ervaringen vinden, dus moeten ze door schade en schande wijs worden.
Op www.wieisdebestemakelaar.nl kunnen consumenten een oordeel vellen over de diensten van hun makelaar, bijvoorbeeld over hun kennis, creativiteit en het nakomen van afspraken. De site is opgericht door Han Tuttel die enige naam maakte met de weblog www.descherpepen.nl, met kritische bijdragen over de woningmarkt. Anonieme bijdragen worden niet geaccepteerd. Het valt op dat veel bijdragen op www.wieisdebestemakelaar.nl erg positief zijn, al zijn er ook negatieve reacties.

9.6 Klachten over de notaris

Bij de aankoop van een huis kunt u niet om de notaris heen. Daarom gaan we hier even kort op deze dienstverlener in. De notaris is de enige openbare ambtenaar die wettelijk bevoegd is notariële akten op te maken. De wet schrijft hem voor een onafhankelijk, onpartijdig jurist te zijn die rechtsgeldige, evenwichtige overeenkomsten vastlegt tussen twee of meer partijen. In tegenstelling tot de rechter – ook een openbaar ambtenaar die onpartijdig en onafhankelijk is – wordt de notaris niet door de overheid betaald. De notaris runt zijn eigen winkeltje en wordt voor zijn werkzaamheden betaald door de cliënten.
Er is helaas geen onafhankelijke geschillencommissie voor het oplossen van klachten over een notaris. Ruim 70% van de consumenten is daar wel een

voorstander van. Heeft u een klacht? Probeer er dan eerst met de notaris zelf uit te komen en leg dit op schrift vast. Rolt daar geen bevredigende oplossing uit, dan kunt u de KNB vragen te bemiddelen. Helpt dat niet, dan kunt u bij de Kamer van Toezicht van de arrondissementsrechtbank terecht met klachten over het handelen of de nalatigheid van de notaris. De kamer past echter slechts tuchtrechtregels toe; met eisen tot schadevergoeding moet u naar de gewone rechter.
Met onenigheid over de hoogte van de factuur kunt u terecht bij de voorzitter van de regionale ring van notarissen. De KNB is verdeeld in verschillende regio's. Elke ring heeft een eigen voorzitter. Stuur uw brief met klacht naar de voorzitter van de ring waar uw notaris werkt. Uw notaris moet u vertellen wie de voorzitter is en wat zijn adres is. De voorzitter van de ring beslist dan wie er gelijk heeft.

9.6a Te dure nota

Uit een onderzoek van de Consumentenbond (zie de *Geldgids* van april/mei 2011) blijkt dat de rekening van de notaris vaak duurder uitpakt dan de prijsopgave vooraf aangeeft. Een seintje dat de kosten oplopen, wordt vaak niet gegeven. In januari 2011 werd 450 consumenten gevraagd naar hun ervaring met notarissen. De enquête is uitgevoerd door marktonderzoeksbureau Intomart GfK.
Een van de opmerkelijke uitkomsten is dat zelfs de offerte geen zekerheid biedt, in weerwil van de gedragscode van notarissen. 12% van de nota's viel hoger uit dan de offerte. Er blijkt wel verschil te bestaan tussen de aktes. Bij een samenlevingsakte is bijvoorbeeld 8% van de rekeningen hoger dan de offerte, bij hypotheken is dat 7% en bij het opmaken van een testament is dat 12%.
Bij het uitzoeken van een notaris heeft slechts 41% van de mensen uit het panelonderzoek een offerte aangevraagd. Als er offertes worden aangevraagd, doet 78% dit bij twee of drie notarissen. Opmerkelijk was: 28% van de notarissen stuurt geen offerte als erom wordt gevraagd. Willen ze geen klanten? Bij een kwart van de offertes wordt een schatting gegeven van de kosten en bij 14% een vanafprijs. Er zijn ook notarissen (8%) die de klant zelf laten rekenen en een uurtarief geven met daarbij de tijd die ze denken nodig te hebben. Helaas blijkt een prijsopgave vooraf lang niet altijd volledig inzicht te geven in de daadwerkelijke kosten. Terwijl de beroepscode van de KNB nota bene voorschrijft dat de tarieven helder, duidelijk en ondubbelzinnig moeten zijn en dat het niet is toegestaan te volstaan met het vermelden van

minimumprijzen. In een reactie stelt de KNB dat ze de casussen moet kennen om te beoordelen of een notaris in overtreding is.

Notaris mag rekening niet oppimpen
Uit ons onderzoek blijkt dat het bedrag in de offerte lang niet altijd overeenkomt met de latere rekening. In juni 2010 heeft het Gerechtshof in Amsterdam in een uitspraak aangegeven dat het basistarief van een notaris alle gebruikelijke werkzaamheden moet bevatten. Een notaris mag nu niet meer via algemene voorwaarden zijn normale werk als meerwerk opvoeren.
Voorzitter Geertjan Sarneel van de KNB zegt daarover in het *Notariaat Magazine* van juli 2009: 'Het is niet toegestaan allerlei basiswerkzaamheden als meerwerk in rekening te brengen bij cliënten. Het achteraf opplussen van een in eerste instantie aantrekkelijke offerte is door de uitspraak van het Gerechtshof in Amsterdam feitelijk verboden verklaard.'
Notaris Ritzo Holtman uit Utrecht zegt in een column 'Oppimpen van meerwerk' in hetzelfde blad dat het declareren van extra werkzaamheden beperkt moet blijven tot werkzaamheden die ten tijde van het uitbrengen van de offerte door de notaris in redelijkheid niet konden worden voorzien.

9.7 Klachten over de advocaat

Een advocaat hoort zich te houden aan de gedragsregels van de Orde van Advocaten (zie Adressen). Volgens die regels moet hij cliënten zo inlichten dat ze een juist inzicht krijgen in de stand van zaken. Bij belangrijke beslissingen moet hij ze raadplegen en van ieder processtuk hoort hij ze een afschrift te sturen. De advocaat heeft de leiding, maar mag niets doen tegen de wil van de klant. Als de klant een opdracht heeft gegeven, kan de advocaat zich niet aan zijn aansprakelijkheid voor zijn handelingen onttrekken door te zeggen 'dat de klant het zo wilde'. In par. 1.2a staat wanneer een advocaat verplicht is, en wanneer niet.

9.7a Problemen voorkomen
Wanneer is besloten dat er een advocaat ingeschakeld moet worden, begint de zoektocht naar de juiste man of vrouw voor de klus. Een goede keus helpt immers om problemen te voorkomen. Maar dat is nog niet zo eenvoudig,

want het aanbod is groot. Nederland telt ruim 16.000 advocaten, die werkzaam zijn voor zo'n 4700 advocatenkantoren – die variëren van klein (de eenmanszaken) tot groot (meer dan 60 advocaten in dienst).
Een eerste schifting is vaak de specialisatie van de advocaat. Veel raadslieden zijn gespecialiseerd in een van de vele takken van het recht, zoals familierecht en arbeidsrecht, en meestal zijn ze aangesloten bij een specialisatievereniging. Zo blijven ze continu op de hoogte van de laatste ontwikkelingen op hun rechtsgebied. Ook is het van belang dat het kantoor van de advocaat een beetje in de buurt zit. Geluiden uit de omgeving, in uw familie- of vriendenkring bijvoorbeeld, kunnen helpen bij de selectie. Op www.advocaten-vergelijken.nl kunt u vrijblijvend informatie en offertes van advocaten in uw regio opvragen.
Breng de selectie niet direct terug tot één advocaat. Stel een lijstje samen van enkele kandidaten. Maak met elk van hen een afspraak voor een oriënterend, gratis gesprek. Op basis hiervan kunt u besluiten of u verder gaat met de advocaat. Zorg er daarom voor dat de advocaat op uw zaak ingaat. Van een verkooppraatje waarin de advocaat enkel zichzelf aanprijst, wordt u niets wijzer. Laat de advocaat zo duidelijk mogelijk aangeven of hij met vergelijkbare zaken te maken heeft gehad en hoe hij uw zaak zou aanpakken. U kunt de raadsman dan ook vragen naar zijn verwachtingen over de uitkomst van de zaak. De advocaat kan tijdens zo'n eerste gesprek soms ook adviseren een mediator in de arm te nemen.

Afspraken over de nota

Benut het oriënterende gesprek ook om vast te leggen vanaf welk moment u gaat betalen. De meter moet niet gaan lopen voordat u duidelijk heeft gemaakt dat u met de advocaat in zee wilt gaan. Een advocaat kan op verschillende manieren declareren: op basis van een uurtarief (afhankelijk van draagkracht of resultaat), via een vast bedrag of via een incassotarief. Veelal rekenen advocaten per uur, en de bedragen zijn vaak niet misselijk. Voor een raadsman bent u algauw meer dan €100 per uur kwijt. Dat loopt op naar bedragen van €500 à €600, afhankelijk van de ervaring, status en grootte van het kantoor.
In een oriënterend gesprek is het daarom erg nuttig dat de advocaat een inschatting maakt van de kosten. Vraag om een zo concreet mogelijke offerte en laat die bevestigen op papier. Spreek af dat hij u inlicht zodra hij denkt dat hij zijn inschatting van de kosten zal overschrijden. Vraag of hij u een wekelijks overzicht toestuurt van de reeds gemaakte kosten. Houd zelf

ook een lijstje bij van gesprekken met de advocaat en de aan hem gegeven opdrachten. Dat scheelt geharrewar achteraf over de nota. Informeer ook naar de bijkomende kosten, bijvoorbeeld de griffiekosten bij de rechtbank. Mr. Anke Mulder, advocaat te Utrecht, erkent het belang van zo'n eerste kennismakingsgesprek. 'Ik doe vooral echtscheidingszaken. En daarbij spelen, zeker in zo'n eerste gesprek, emoties een grote rol. Toch probeer ik dan zo goed mogelijk uit te leggen hoe de procedure in elkaar steekt, wat er allemaal moet gebeuren en welke kosten ermee gepaard gaan', aldus de Utrechtse advocate. 'Daarbij is een reële inschatting van de kosten heel lastig. Hoe verder de standpunten van de twee partijen uiteen liggen, des te langer de zaak gaat duren en hoe kostbaarder die wordt. Na een eerste overleg met de tegenpartij is zo'n inschatting beter te maken. Verder stuur ik mijn cliënten concepten toe van de stukken, zodat er niets gebeurt waarvan ze niet op de hoogte waren. Achteraf kan daarover geen onenigheid ontstaan.'

Alternatieve betalingen
Bij sommige advocaten is het mogelijk alternatieve afspraken te maken over de betaling. Zo zijn sommigen bereid hun diensten aan te bieden voor een vast bedrag, ongeacht het aantal uren dat er aan de zaak wordt gewerkt, of voor een percentage van het bedrag waarover de rechtszaak gaat. Bijvoorbeeld in ontslagzaken zou dat een deel van de ontslagvergoeding kunnen zijn. De Advocatenwet verbiedt overigens dat advocaten hun diensten aanbieden op basis van no cure, no pay. De Orde van Advocaten is bezig met een experiment om dit wel mogelijk te maken bij letsel- en overlijdensschadezaken. Kijk in de offerte ook kritisch naar de dingen die de advocaat allemaal gaat doen. Soms zitten daar zaken bij die u ook heel goed zelf kunt, kopieerwerk bijvoorbeeld. Dan brengt de advocaat een halfuur bij de kopieermachine in rekening op basis van zijn eigen, hoge tarief, terwijl zijn secretaresse waarschijnlijk het werk doet. Zelf doen scheelt dan een hoop geld.

9.7b Als het misgaat

Ondanks de zorgvuldige selectie en stevige afspraken kan het toch misgaan. Daarover kan Annet Wijers[8] meepraten. Na haar echtscheiding krijgt de Tilburgse een conflict met haar advocate. 'Mijn advocate bracht plots een gesprek met mijn ex-man en het verslag daarvan in rekening. Dat gesprek heeft plaatsgevonden na afloop van de procedure, omdat mijn man bij de advocate meldde niet te kunnen betalen. Ik weiger die rekening te voldoen,

8 Gefingeerde naam.

ik heb immers niet om dat gesprek gevraagd. Ik vind het ook vreemd dat de advocate alleen met mijn ex-man spreekt, terwijl ik haar cliënt ben. Ik heb een voorschot van €500 betaald en dat komt overeen met het deel van de rekening waarmee ik wel akkoord ga. Dat voorschot mag ze dus houden. Het andere deel betaal ik pertinent niet, al moet ik er een nieuwe advocaat voor inhuren!'

Annet Wijers is zeker niet de eerste die een conflict heeft over de rekening van een advocaat. Klachten over de rekening komen vaker voor, maar ook teleurstelling over de inzet en de resultaten van de advocaat is soms reden voor een klacht. Waar kun je met zo'n klacht terecht?

Sommige advocatenkantoren hebben een eigen klachtenregeling. Een van de medewerkers is aangewezen om klachten van cliënten te onderzoeken en op te lossen. De eenmanskantoren, ook wel eenpitters genoemd, bieden deze mogelijkheid niet. De klagende cliënt komt dan terecht bij de deken van de Orde van Advocaten.

Mocht er bij het kantoor of bij de deken geen oplossing voor de klacht worden gevonden, dan kan de cliënt – mits de advocaat daarbij is aangesloten – door naar de Geschillencommissie Advocatuur. Die spreekt zich na een grondig onderzoek uit over de klacht. Dit oordeel is bindend.

In laatste instantie is er nog de tuchtrechter, ook wel Raad van Discipline genoemd. Die kan een advocaat zelfs uit de beroepsgroep zetten of schorsen. En dat gebeurt geregeld. Zo werden er in 2010 6 advocaten uit de beroepsgroep gezet en 65 advocaten werden tijdelijk geschorst.

Geschillenregeling advocaten?

Er moet een verplichte geschillenregeling komen voor advocaten. Ook moeten de lokale dekens extra sanctiemogelijkheden krijgen. Daarnaast zal een soort ombudsman in de gaten moeten houden of het toezichtstelsel van advocaten goed functioneert. Dit zijn de belangrijkste conclusies van Arthur Docters van Leeuwen, die in opdracht van de Nederlandse Orde van Advocaten het toezichtstelsel bij advocaten onder de loep nam. De geschillenregeling die nu bestaat, is op vrijwillige basis. 'Ik ben blij dat Docters van Leeuwen onze wens van een verplichte geschillenregeling heeft overgenomen,' aldus directeur Bart Combée van de Consumentenbond in de *Geldgids* van juni/juli 2010. 'Juist bij een geschil met een advocaat is het belangrijk dat je op een laagdrempelige manier je recht kunt halen.'

ADRESSEN

ANWB Rechtshulp
tel. (088) 269 77 88
www.anwb.nl/rechtshulp

Autoriteit Financiële Markten (AFM)
t.a.v. afdeling Publieksvoorlichting
Postbus 11723
1001 GS Amsterdam
0900-540 05 40 (€0,05 per minuut)
www.afm.nl
www.weetwatjeweet.nl

Bureau Krediet Registratie (BKR)/ Geschillencommissie BKR
Postbus 6080
4000 HB Tiel
0900-257 84 35 (€0,15 per minuut)
www.bkr.nl

Commissie Gelijke Behandeling
Postbus 16001
3500 DA Utrecht
tel. (030) 888 38 88
www.cgb.nl

Commissie Kwaliteitszorg NVVK
t.a.v. de secretaris
Postbus 12610
2500 DK Den Haag

Consuwijzer
Postbus 21021
3001 AA Rotterdam
tel. (088) 070 70 70
www.consuwijzer.nl

Coördinatieorgaan van samenwerkende ouderenorganisaties (CSO)
Postbus 2069
3500 GB Utrecht
tel. (030) 276 99 85
www.ouderenorganisaties.nl

De Nationale ombudsman
Antwoordnummer 10870
2501 WB Den Haag
tel. 0800-335 55 55
www.nationaleombudsman.nl

De Nederlandsche Bank (DNB)
Postbus 98
1000 AB Amsterdam
0800-020 10 68 (gratis)
www.dnb.nl

Europees Consumenten Centrum (ECC)
Postbus 487
3500 AL Utrecht
tel. (030) 232 64 40
www.eccnl.eu

Federatie van Taxateurs Makelaars Veilinghouders in Roerende Zaken
Postbus 90154
5000 LG Tilburg
tel. (013) 59 44 140
www.federatie-tmv.nl

Het Juridisch Loket
0900-8020 (€0,10 per minuut)
www.juridischloket.nl

Klachteninstituut Financiële Dienstverlening (Kifid)
Postbus 93257
2509 AG Den Haag
tel. (070) 333 89 99
www.kifid.nl

Nederlandse Bond voor Pensioenbelangen (NBP)
Scheveningseweg 7
2517 KS Den Haag
tel. (070) 360 19 21
www.pensioenbelangen.nl

Nederlandse Vereniging van assurantieadviseurs en financiële dienstverleners (NVA)
Postbus 235
3800 AE Amersfoort
tel. (033) 464 34 64
www.nva.nl

Nederlandse Vereniging van Banken (NVB)
Postbus 7400
1007 JK Amsterdam
tel. (020) 550 28 88
www.nvb.nl

Nederlandse Vereniging van Organisaties van Gepensioneerden (NVOG)
Postbus 2069
3500 GB Utrecht
tel. (030) 284 60 80
www.gepensioneerden.nl

Nederlandse Vereniging van Rentmeesters
Postbus 222
6700 AE Wageningen
tel. (0317) 41 50 30
www.rentmeesternvr.nl

Nederlandse Zorgautoriteit (NZa)
Informatielijn/Meldpunt
Postbus 3017
3502 GA Utrecht
0900-770 70 70 (€0,05 per minuut; ma t/m vr 9-14 uur)
www.nza.nl

Ombudsman Pensioenen
Postbus 93560
2509 AN Den Haag
tel. (070) 333 89 65
www.ombudsmanpensioenen.nl

Orde van Advocaten
Postbus 30851
2500 GW Den Haag
tel. (070) 335 35 35
www.advocatenorde.nl

Schadefonds Geweldsmisdrijven
Postbus 1947
2280 DX Rijswijk
tel. (070) 414 20 00
www.schadefonds.nl

Slachtofferhulp Nederland
0900-0101 (lokaal tarief;
ma t/m vr 9-17 uur)
www.slachtofferhulp.nl

Sociale Verzekeringsbank
Postbus 1100
1180 BH Amstelveen
tel. (020) 656 56 56
www.svb.nl

Stichting CIS
t.a.v. het secretariaat
Bordewijklaan 2
2591 XR Den Haag
tel. (070) 333 86 44
inzage- en correctieverzoeken:
tel. (030) 693 56 68
www.stichtingcis.nl

Stichting Klachten en Geschillen Zorgverzekeringen
Postbus 291
3700 AG Zeist
tel. (030) 698 83 60
www.skgz.nl

Stichting Landelijk Register van Gerechtelijk Deskundigen
Postbus 52080
2505 CB Den Haag
tel. (085) 273 37 77
www.lrgd.nl

Stichting VastgoedCert
Postbus 4188
3006 AD Rotterdam
tel. (010) 212 07 80
www.vastgoedcert.nl

Vereniging van Financieringsondernemingen in Nederland (VFN)
Benoordenhoutseweg 23
2596 BA Den Haag
tel. (070) 314 24 42
www.vfn.nl

Vereniging van onafhankelijke financiële en assurantieadviseurs (NBVA)
Postbus 6152
4000 HD Tiel
tel. (0344) 62 02 00
www.nbva.nl

Waarborgfonds Motorverkeer
Postbus 3003
2280 MG Rijswijk
tel. (070) 340 82 00
www.wbf.nl

REGISTER

Verder lezen

Geld & verzekeringen
- 101 Slimme geldtips*
- Belastinggids 2012*
- Belastingtips voor senioren*
- Handboek voor huiseigenaren
- Het nieuwe sparen
- Het slimme bespaarboek
- Jaarboek Geld 2012
- Samenwonen of trouwen*
- Scheiden*
- Slim nalaten & schenken*
- Testament & overlijden*

Gezondheid & voeding
- Gezond eten voor senioren
- Gezond ouder worden*
- Greep op de overgang
- Greep op uw geheugen*
- Hart & vaten gezond
- Het juiste medicijn
- Het Keuzedieet
- Lekker en licht eten
- Medisch onderzoek van A tot Z
- Veilig eten
- Voeding en uw gezondheid
- Vrouw & gezondheid*
- Zelf dokteren

Computers & internet
- Alles over digitale fotografie
- Alles over digitale video (met dvd)
- Beeld & geluid in huis
- De leukste gratis software 2
- Fotobewerking
- Grote schoonmaak van uw computer
- Haal nóg meer uit uw pc
- PC-EHBO
- Slim internetten
- Veilig online

Diversen
- 1001 Reparaties in huis
- 301 Gouden energiebespaartips*
- 500 Handige huishoudtips
- Alles over huishoudelijke apparaten
- Buitenonderhoud
- De mooiste steden
- Haal uw recht*
- Ruimte winnen in huis
- Testjaarboek 2012
- Vlekkengids

*ook verkrijgbaar als e-book

Bestellen?

Leden van de Consumentenbond ontvangen korting op deze boeken.
U bestelt ze eenvoudig in onze webwinkel op
www.consumentenbond.nl/webwinkel.
U kunt ook telefonisch bestellen via onze afdeling Service en Advies:
(070) 445 45 45. Bent u lid? Houd dan uw lidmaatschapsnummer gereed.
We zijn op werkdagen van 8 tot 20 uur bereikbaar (vrijdag van 8 tot 17.30 uur).

Uw lidmaatschap biedt meer dan u denkt!

- U ontvangt de **Consumentengids** of een van onze andere gidsen.
- Al onze uitgaven zijn 100% **onafhankelijk** en **advertentievrij**.
- U heeft 24 uur per dag toegang tot onze betrouwbare, **onlinetestinformatie** over meer dan 2000 producten en diensten.
- U kunt tot honderden euro's **besparen** op uw energierekening en zorgverzekering.
- U profiteert van gezamenlijke **acties** en campagnes.
- U ontvangt 20-30% **korting** op boeken en extra gidsen van de Consumentenbond.
- U ontvangt van onze afdeling Service & Advies **gratis advies** over aankoop, service, garantie en – heel handig – uw rechten.
- U ontvangt gratis de **Consumentengids Auto** en **Minigidsen**.
- U bent via de **SpaarAlert** altijd op de hoogte van de hoogste spaarrente.
- De Consumentenbond houdt voor u de vinger aan de pols bij **wetswijzigingen**.
- U ontvangt wekelijks onze gratis **nieuwsbrief**.
- U kunt deelnemen aan **testpanels**.

Een compleet en actueel overzicht van uw lidmaatschap vindt u op www.consumentenbond.nl/voordeel.

Contact

Service & Advies: (070) 445 45 45
Internet: www.consumentenbond.nl
Contactformulier:
www.consumentenbond.nl/contact

Voorwaarden lidmaatschap en abonnement

Kijk op
www.consumentenbond.nl/algemenevoorwaard

Volg ons ook op

www.facebook.com/consumentenbond
www.youtube.com/consumentenbond
www.twitter.com/consumentenbond